*Como Escutar
um Geminiano*

Mary English

Como Escutar um Geminiano

Orientações da Vida Real para Relacionar-se
Bem e Ser Amigo do Terceiro Signo do Zodíaco

Tradução:
MARCELLO BORGES

Editora Pensamento
SÃO PAULO

Título original: *How to Listen to a Gemini*.

Copyright do texto © 2013 Mary L. English.

Publicado originalmente no RU por O-Books, uma divisão da John Hunt Publishing Ltd., The Bothy, Deershot Lodge, Park Lane, Ropley, Hants, SO24 0BE, UK.

Publicado mediante acordo com O-Books.

Copyright da edição brasileira © 2013 Editora Pensamento-Cultrix Ltda.

Texto de acordo com as novas regras ortográficas da língua portuguesa.

1ª edição 2013.

Todos os direitos reservados. Nenhuma parte deste livro pode ser reproduzida ou usada de qualquer forma ou por qualquer meio, eletrônico ou mecânico, inclusive fotocópias, gravações ou sistema de armazenamento em banco de dados, sem permissão por escrito, exceto nos casos de trechos curtos citados em resenhas críticas ou artigos de revista.

A Editora Pensamento não se responsabiliza por eventuais mudanças ocorridas nos endereços convencionais ou eletrônicos citados neste livro

Editor: Adilson Silva Ramachandra
Editora de texto: Denise de C. Rocha Delela
Coordenação editorial: Roseli de S. Ferraz
Preparação de originais: Marta Almeida de Sá
Produção editorial: Indiara Faria Kayo
Assistente de produção editorial: Estela A. Minas
Editoração eletrônica: Join Bureau
Revisão: Vivian Miwa Matsushita e Indiara Faria Kayo

CIP-Brasil Catalogação na Publicação
Sindicato Nacional dos Editores de Livros, RJ

E47c
English, Mary
   Como escutar um geminiano: orientações da vida real para relacionar-se bem e ser amigo do terceiro signo do zodíaco / Mary English; tradução Marcello Borges. – 1. ed. – São Paulo: Pensamento, 2013.

Tradução de: How to listen to a gemini.
ISBN 978-85-315-1853-9

1. Gêmeos (Astrologia). 2. Astrologia. I. Título.

13-06619
CDD: 133.54
CDU: 133.526

Direitos de tradução para a língua portuguesa adquiridos com exclusividade pela
EDITORA PENSAMENTO-CULTRIX LTDA., que se reserva a
propriedade literária desta tradução.
Rua Dr. Mário Vicente, 368 – 04270-000 – São Paulo – SP
Fone: (11) 2066-9000 – Fax: (11) 2066-9008
http://www.editorapensamento.com.br
E-mail: atendimento@editorapensamento.com.br
Foi feito o depósito legal.

Este livro é dedicado a três geminianas maravilhosas:

minha adorável tia Jo Morgan
(que descanse em paz no céu),

Oksana, por sua ajuda na edição desta série
e por suas críticas,

e minha melhor amiga Laura,
que sempre me encorajou e me apoiou.

♊ Sumário ♊

Agradecimentos 9

Introdução 11

1 O signo 19
2 Como montar um mapa astral 42
3 O ascendente 48
4 A lua 58
5 As casas 70
6 Os problemas 78
7 As soluções 84
8 Táticas para escutar 93

Notas 119

Informações adicionais 121

♊ Agradecimentos ♊

Gostaria de agradecer às seguintes pessoas:
Meu filho, por ser o libriano que sempre
me faz enxergar o outro lado.
Meu marido taurino Jonathan, por ser o homem mais
maravilhoso do mundo.
Mabel, Jessica e Usha, por sua ajuda homeopática
e sua compreensão.
Laura e Mandy, por sua amizade.
Donna Cunningham, por sua ajuda e seus conselhos.
Judy Hall, por sua inspiração.
Alois Treindl, por ser o pisciano que fundou o
maravilhoso site Astro.com.
Judy Ramsell Howard, do Bach Centre, por seu estímulo.
John, meu editor, por ser a pessoa que lutou com unhas
e dentes para que este livro fosse publicado, e toda a equipe
da O-Books, inclusive Stuart, Trevor, Kate, Nick, Krystina,
Catherine, Maria, Elizabeth e Mary.
Victoria, Oksana, Ursula, Mary e Alam, por seus
sempre bem-vindos olhares editoriais.
E finalmente, mas não menos importantes, meus adoráveis
clientes, por suas valiosas contribuições.

♊ Introdução ♊

Por que o título deste livro?

Este volume faz parte de uma série de livros sobre signos solares, escritos para ajudá-lo a compreender as pessoas de sua vida. Comecei a série pelo final do Zodíaco, com *Como Sobreviver a um Pisciano*, porque sou pisciana e segui o Zodíaco de trás para a frente. Agora, estou no décimo livro, sobre o terceiro signo. Confuso? Imagine como seria se você fosse como eu!

Comecei este livro numa tarde alucinante de outono, com o vento soprando pela chaminé em meu escritório e a chuva espancando a frente da casa. Não era um clima propriamente positivo. Depois de alguns instantes, a chuva passou e o Sol saiu. Isso é parecido com a energia geminiana. Os Gêmeos. O positivo e o negativo, o bom e o mau, o alegre e o triste... Gêmeos tem os dois.

É isso que precisamos fazer quando aprendemos Astrologia.

Primeiro, aprendemos a nosso respeito; depois, aprendemos algo sobre as pessoas próximas, e, quando nossa confiança aumenta, aprendemos sobre a população em geral.

Para compreender um pouco melhor a forma como a Astrologia chegou ao ponto em que está atualmente, é útil conhecer um pouco sobre sua história.

Uma Breve História da Astrologia

O historiador Christopher McIntosh afirma, em seu livro *The Astrologers and Their Creed*, que a Astrologia foi descoberta na atual região do Iraque, no Oriente Médio:

> Foram os sacerdotes do reino da Babilônia que fizeram a descoberta que estabeleceu o padrão para o desenvolvimento da Astronomia e do sistema zodiacal da Astrologia que conhecemos hoje. Durante muitas gerações, eles observaram e registraram meticulosamente os movimentos dos corpos celestes. Finalmente descobriram, graças a cálculos cuidadosos, que, além do Sol e da Lua, outros cinco planetas visíveis se moviam em direções específicas pelo céu. Eram os planetas que hoje chamamos de Mercúrio, Vênus, Marte, Júpiter e Saturno.
>
> A descoberta que esses sacerdotes astrônomos fizeram foi notável, levando-se em conta os instrumentos precários com que trabalhavam. Eles não tinham telescópios, nem os outros aparatos complicados que os astrônomos usam hoje. Mas tinham uma grande vantagem. A área próxima ao Golfo Pérsico, onde ficava seu reino, era abençoada com céus extremamente limpos. Para tirar pleno proveito dessa vantagem, eles construíram torres em áreas planas do país e a partir delas podiam vascular todo o horizonte.
>
> Os sacerdotes viviam reclusos em mosteiros, geralmente adjacentes às torres. Todos os dias, eles observavam o movimento das esferas celestes e anotavam fenômenos terrestres corresponden-

tes, como inundações e rebeliões. Não tardou para chegarem à conclusão de que as leis que governavam os movimentos das estrelas e dos planetas também governavam eventos na Terra. As estações mudavam com os movimentos do Sol, e portanto, argumentavam, os outros corpos celestes certamente deveriam exercer uma influência semelhante...

No princípio, as estrelas e os planetas eram considerados deuses de verdade. Mais tarde, quando a religião ficou mais sofisticada, as duas ideias foram separadas e desenvolveu-se a crença de que o deus "governava" o planeta correspondente.

Gradualmente, foi se formando um sistema altamente complexo no qual cada planeta tinha um conjunto específico de propriedades. Esse sistema foi desenvolvido em parte por meio dos relatórios dos sacerdotes e em parte graças às características naturais dos planetas. Viram que Marte tinha a cor vermelha e por isso identificaram-no com o deus Nergal, o deus ígneo da guerra e da destruição.

Vênus, identificado pelos sumérios como sendo sua deusa Inanna, destacava-se de manhã, como se desse à luz o dia, por assim dizer. Por isso, tornou-se o planeta associado às qualidades femininas do amor, da gentileza e da reprodução.

A observação das estrelas pelos sumérios era, mais do que tudo, um ato religioso. Os planetas eram seus deuses, e cada objeto visível estava associado a um ser espiritual invisível que julgava suas ações, abençoava-os com a boa fortuna ou lhes enviava tribulações.[1]

Portanto a Astrologia nasceu de observações cuidadosas e também do desejo dos sumérios de acrescentar significado às suas vidas. No início, servia a um propósito prático, o de ajudar na agricultura, e depois ela se desenvolveu em um sistema espiritual, e, milhares de anos depois, a Astrologia ainda está conosco.

Definição de Astrologia

A Astrologia é o estudo dos planetas, mas não num sentido astronômico. Os astrólogos observam os planetas e registram sua localização do ponto de vista da Terra, dividindo o céu em doze porções iguais. Essas porções começam no Equinócio da Primavera,* em 0° de Áries. Usamos informações astronômicas, mas a diferença entre a Astronomia e a Astrologia é que os astrólogos usam essas informações astronômicas para fins distintos. Originalmente, astrônomos e astrólogos estudavam a mesma coisa, mas, com o progresso da ciência, os astrônomos se afastaram e se concentraram apenas nos planetas em si, e não em seu significado. Os astrólogos acreditam que estamos todos conectados.

O que está em cima é como o que está embaixo.

Da mesma forma que estamos todos conectados como membros da raça humana, os astrólogos acreditam que estamos todos ligados, de algum modo, a tudo que nos rodeia.

Uma atividade permanente dos astrólogos é observar os mapas das pessoas que aparecem nos noticiários. Faço isso o tempo todo, e é fascinante. Por que aquela pessoa diz isso/faz aquilo/pensa assim?

E, geralmente, podemos atribuir seu comportamento a seu signo solar.

---

* Ao longo do livro, a autora se refere às estações no Hemisfério Norte. (N. do T.)

Introdução

Mesmo quem tem apenas um conhecimento básico de Astrologia é capaz de diferenciar o caráter alegre de um leonino e a postura mais sensata e possivelmente severa de um capricorniano diante da vida.

É aí que a Astrologia dos signos solares é útil. Ela nos ajuda a conhecer as motivações das pessoas, e se conhecermos melhor as pessoas, talvez possamos nos entender melhor com elas... pelo menos, essa é a ideia!

Em minha prática profissional como astróloga e homeopata, atendo clientes e pacientes e ajudo-os a recuperar a saúde ou a lidar com toda sorte de problemas. Não costumo receber pessoas que estão felizes ou num bom momento, mas sinto-me honrada quando me escolhem para ajudá-las. É um privilégio pelo qual sou grata. Faço "leituras" para clientes desde que eu tinha 13 anos, e por isso, ao longo desses anos, atendi muita gente. Nem todos foram clientes pagantes. Antes de me profissionalizar, fiz leituras para amigos, parentes, gente que conheci em festas, no trabalho, nas férias... sempre que me pediam. É assim que você ganha experiência, conversando com as pessoas e descobrindo "onde elas estão" em suas vidas.

"Tornei-me" astróloga pouco depois de estudar homeopatia, e foi minha homeopata que me colocou no caminho que sigo hoje, pois ela me disse algo que aguçou minha curiosidade.

Eu estava lhe contando alguma coisa que havia acontecido comigo quando eu tinha vinte e tantos anos. *"Ah, isso deve ter acontecido no seu Retorno de Saturno"*, ela disse. *"Retorno de Saturno"*, pensei. *"Que será **isso**?"*

Eu nem quis perguntar por que ela é homeopata, e não astróloga, mas comecei a investigar aquilo. E li muitos livros, fiz muitos mapas para amigos e parentes... e passei muitos anos aprendendo sozinha, no meu próprio ritmo, de modo que estava absolutamente confiante quando comecei a utilizar a Astrologia em minha prática profissional.

Eu já usava quiromancia e cartas, e a Astrologia me pareceu um "extra" interessante, algo que me ajudaria a entender melhor meus clientes.

O que eu não sabia na época era como minha vida seria tomada por esses estudos e como o assunto seria fascinante... e ainda é.

Não entendo como alguém pode se cansar da Astrologia...

Seja como for...

Aprendi lendo textos de astrólogas maravilhosas como Judy Hall e Donna Cunningham. Filiei-me à Associação Astrológica da Grã-Bretanha e comecei a escrever um boletim – o qual encaminho a clientes e a visitantes do meu site – e me dedico *totalmente* ao assunto.

A primeira coisa que aprendi foi que eu tinha algo chamado Ascendente em Leão. E isso me explicou por que é que, quando eu lia livros sobre signos solares como *Sun Signs* ou *Love Signs*, de Linda Goodman, suas descrições não se encaixavam muito bem.

Minha tia, irmã de meu pai, interessava-se pela Astrologia, mas morreu bem antes de eu me interessar com seriedade. Duas de minhas irmãs aquarianas eram mais versadas na Astrologia do que eu; por isso, quando minha curva de aprendizado teve início, tudo começou a fazer sentido.

A razão pela qual eu gostava de minha tia e me entendia tão bem com ela é que eu tinha a Lua em Gêmeos, e ela, o Sol em Gêmeos; assim, havia uma espécie de compreensão mútua. Além disso, a Lua dela estava em Leão e o meu Ascendente é Leão, o que explicava por que combinávamos. Ela nunca me impôs a Astrologia, mas de vez em quando se oferecia para "fazer o mapa" de algum namorado, e quando ela morreu eu pedi a meu tio para ficar com os livros dela, e ele gentilmente me deu duas de suas efemérides, uma das quais com meu nome próximo à minha data de nascimento.

Foi muito legal!

Quando fiz o mapa de minha melhor amiga, alguém com quem eu convivia fazia anos e anos, pois nos conhecemos ainda adolescentes, descobri o seguinte:

Sou pisciana com a Lua em Gêmeos e ela é geminiana com a Lua em Peixes! Isso me causou um impacto muito grande.

Por que eu manteria a amizade com alguém durante tanto tempo?

Nós duas nos casamos, divorciamos e tornamos a nos casar (e bem), mas vivemos vidas completamente diferentes. Ela trabalha com finanças e eu lido com esoterismo. Ela tem um emprego "fixo", eu sou autônoma. Logo, não podemos dizer que nos conhecemos por causa do trabalho. Isso nunca teria acontecido. Na verdade, nós nos conhecemos porque nossos ex-maridos eram amigos. Hoje, eles não são mais amigos, mas nós duas somos. Nossa amizade atravessou altos e baixos, e só posso explicar isso por essa recepção mútua entre Sol e Lua.

É por isso que a Astrologia é *tão* significativa... e vamos aprender neste livrinho muita coisa sobre você e seus geminianos, e por que eles podem ser do jeito que são.

– Mary L. English
Bath, 2012

Capítulo 1

♊ O *signo* ♊

Gêmeos é representado por dois "gêmeos", é o signo zodiacal simbolizado por dois corpos. O outro signo duplo é Peixes, representado por dois peixes nadando em sentidos opostos.

E este é o eterno dilema... fazer uma coisa e pensar outra.

Dizer uma coisa e fazer outra completamente diferente. É um mal do qual todo geminiano sofre, essa capacidade de ver os dois lados de uma situação, dar duas versões dos eventos e querer conhecer não apenas as coisas boas da vida, mas também as piores. Meu ex-marido, que é geminiano, costumava dizer que nunca esperava nada de bom, para não se desapontar, e por isso estava sempre pensando no pior cenário.

Não sei se isso funcionava ou se ele ainda pensa assim, mas foi o que ele me disse.

Temos aqui Peter, assistente administrativo e *designer* de software. Perguntei-lhe como ele se interessou pela Astrologia, e ele demonstrou estar à vontade com as descrições que seu signo solar poderia ter:

"Meu Sol está em Gêmeos. No entanto, quando li um texto sobre o Sol em Gêmeos, pensei 'Sim! Este sou eu!', mas havia uma sensação

♊ Como escutar um Geminiano ♊

em relação a isso – será que esse sou MESMO eu, ou só me identifico ou respondo a isso porque eu QUERO que seja assim? Acho que é um pouco de cada coisa. Não creio que eu seja tão incrível quanto Gêmeos pareceu ser quando li a respeito, mas eu realmente queria ser daquele jeito e fiquei me sentindo tão animado e positivo que conseguia fazer tudo e ser a melhor versão de mim mesmo, mas ainda não era daquele jeito. Achava mesmo que Gêmeos devia ser o melhor de todos os signos solares. Para manter o controle, li outro texto sobre o Sol em Áries, pois estava cético e achava que talvez tudo estivesse relacionado comigo, escrito de forma vaga de modo a se aplicar a qualquer um. Porém não era assim. Eu não me identificava com as outras descrições.

Mais tarde, comprei o livro (eu era estudante, e antes de comprá-lo eu o lia às escondidas numa livraria) e li tudo de uma só vez. Em alguns dos outros signos eu encontrava alguma ressonância, especialmente em Aquário, Escorpião e em alguns trechos de Libra. Não tenho nada em Libra, mas depois descobri que eu tinha uma coisa chamada Ascendente em Escorpião, seja lá o que for isso, e que outros planetas eram importantes, como a Lua, que está em Aquário".

Bem, e o que é um geminiano?

Para que alguém seja chamado de geminiano, precisa ter nascido entre certas datas. São as datas que você lê nas revistas, nos jornais e em certos sites, e geralmente vão de 21 de maio a 20 de junho.

Eu disse geralmente porque depende do lugar onde seu geminiano* nasceu e também do horário.

---

* Para evitar flexões de gênero que tornam a leitura incômoda, como meu (minha), o(a) etc., foi mantido o gênero inflexível, exceto em casos específicos. (N. do T.)

♊ O signo ♊

Vou explicar a razão.

Estamos aqui na Terra. A Astrologia é o estudo dos planetas em suas órbitas em torno da Terra, do ponto de vista da Terra. E embora a Astrologia baseie seus cálculos no Sol girando em torno da Terra, coisa que ele não faz (a Terra é que gira em torno do Sol), a *impressão* que se tem é de que o Sol se move pelo céu ao olharmos para ele.

Um mapa astral ou natal é um pequeno mapa do céu no dia em que você nasceu. Contudo as órbitas dos corpos celestes não respeitam necessariamente nosso calendário.

Portanto, quando a revista diz que a senhora Green, que nasceu no dia 21 de junho, deve ser geminiana, isso não é totalmente correto. Pois se a senhora Green nasceu às 22h do dia 21 em Nova York, nos Estados Unidos, na verdade, ela "seria" uma canceriana. Ela teria de nascer *antes* das 6h da manhã desse dia para ser geminiana.

Há pessoas que tentam contornar esse dilema dizendo coisas como "Ah, ela nasceu na cúspide". Não existe isso de cúspide. Ou você nasce sob um signo do Zodíaco, ou sob outro; não dá para ser os dois. O Sol se move pelo céu e, num dado momento, ele estará na porção seguinte do céu, e você está numa porção ou em outra. Existe um ponto matemático de corte.

Como são doze os signos do Zodíaco, dividimos o céu em doze porções. Cada uma tem 30 graus... e isso vai ficar mais evidente quando observarmos o mapa de Bob no próximo capítulo, mas mantenha isso em mente.

"Não existe isso de cúspide."

♊ Como escutar um Geminiano ♊

Tente imaginar as linhas divisórias dos campos de futebol ou das quadras de tênis. A bola caiu dentro... ou fora. De qualquer modo, é uma coisa matemática. Não é difícil calcular mapas, pois agora os computadores fazem todo o trabalho.

Os Gêmeos

Não existe um consenso quanto à origem dos nomes dos signos do Zodíaco. Alguns historiadores dizem que eles se devem às formas que as estrelas desenham no céu, mas, se você já *observou* estrelas, certamente não deve ter visto nada que se assemelhasse, nem de longe, a gêmeos no céu.

É mais provável que os astrólogos originais (os babilônios) tenham dado aos doze signos o nome de seus deuses.

Em seu livro *The Dawn of Astrology*, Nicholas Campion diz que o signo de Gêmeos fazia parte das constelações e que seu nome vinha de Mul Mas.Tab.Bagal.Gal, o que seria "Os Grandes Gêmeos".

Primeiro, eles registraram o caminho que a Lua percorria ao longo da eclíptica solar, seu trajeto aparente pelo céu, e dividiram-no em dezoito constelações *"que ficavam no caminho da lua"*.[2]

Quando os babilônios olhavam para o céu, percebiam que atrás das órbitas dos planetas havia diversas constelações estelares. E, neste ponto, gostaria de reforçar uma diferença. A Astrologia é o estudo dos planetas, não das estrelas. As estrelas são aquelas coisas cintilantes que você observa no céu noturno e que distam bilhões de anos-luz de nossa Terra. Planetas são corpos celestes, como a Terra, que orbitam ao redor do Sol em nosso "Sistema Solar". Alguns planetas são feitos de gás, outros,

♊ O signo ♊

de rocha, como o nosso, mas todos eles giram em torno do Sol. A Lua, nosso vizinho mais próximo, gira em torno da Terra, e nós giramos em torno do Sol.

Portanto originalmente os astrólogos traçaram os caminhos dos planetas pelo céu, identificando as porções do céu com as constelações estelares que ficavam atrás deles, *tal como se via da Terra*.

Atualmente, por causa de nossa órbita e de uma coisa chamada de precessão dos equinócios, esses planetas não se alinham mais com as constelações. Por isso, o que fazemos hoje é dividir o céu em doze porções iguais, começando a divisão com 0° de Áries no Equinócio da Primavera.

Hoje, portanto, os signos astrológicos estão alinhados com as estações.

Cada signo do Zodíaco tem um planeta que cuida dele. Nós o chamamos de "regente", e o regente de Gêmeos é Mercúrio, pois há semelhanças entre o planeta Mercúrio e o signo de Gêmeos. Só para complicar um pouco as coisas, ele também é o regente de Virgem, mas isso se deve ao fato de os babilônios usarem originalmente sete planetas: o Sol, a Lua, Mercúrio, Vênus, Marte, Júpiter e Saturno. Só depois da descoberta de Urano, Netuno e Plutão é que as regências mudaram, pois a Astrologia é uma arte-ciência viva, que respira, e há sempre espaço para mudanças.

O Planeta Veloz

Mercúrio é um planetinha engraçado. Sua órbita é bem irregular. Às vezes, pode ser visto pela manhã, às vezes, à noite. Imagino como os babilônios antigos o viam, pois não é fácil observá-lo, mesmo com um telescópio.

Em nosso sistema solar, é o planeta mais próximo do Sol. Isso faz com que sua superfície seja muito quente em certos lugares e muito fria em outros, pois, em virtude de sua órbita em torno do Sol, só uma parte do planeta fica de frente para o Sol. É como ficar diante de uma fogueira numa noite fria de inverno. Se você ficar diante de uma fogueira, seu rosto e a frente de seu corpo ficarão quentes, mas suas costas estarão frias.

A órbita de Mercúrio em torno do Sol é quatro vezes mais rápida que a da Terra, e por isso seu ano dura apenas 88 dias terrestres. Contudo ele gira tão lentamente em torno de seu eixo que um dia de Mercúrio equivale a 59 dias da Terra. Ele é o menor planeta de nosso sistema solar, e não é tão fácil de localizar: os melhores horários são o começo da noite na primavera e o começo da manhã no outono, tudo no Hemisfério Norte.[3]

A Sonda Messenger da NASA

A Agência Espacial Norte-Americana (NASA) enviou uma sonda chamada Messenger para explorar Mercúrio em 2004 e ela se tornou o primeiro veículo espacial a orbitar o planeta mais próximo do Sol em 18 de março de 2011. Ela deveria ter cessado suas investigações em março de 2012, mas foram obtidos fundos para mais um ano de pesquisas. Há planos para outra missão em 2013 chamada BepiColombo, que vai transportar dois módulos orbitais, um da Europa e outro do Japão.[4]

Até agora, descobriram que a superfície de Mercúrio é coberta de explosões vulcânicas, crateras e evidências de enchentes de lava. A temperatura da superfície tem dois extremos. No lado banhado pelo Sol, atinge 430 °C, e no lado escuro do planeta, ele é congelante, com a temperatura chegando à mínima de -180 °C. Humm, não dá vontade de morar lá!

Mercúrio, o Intermediário

Ao observarmos a posição de Mercúrio em nosso sistema solar, vemos que ele fica entre nós e o Sol. Concordo com Christina Rose, que escreveu em seu livro *Astrological Counselling*:

> Mercúrio, posicionado perto do Sol, surge como alguém que apresenta a energia solar para todos os outros planetas, e vice-versa. Logo, sua função é a de um vínculo introdutório, de transmissão e de conexão, e podemos comparar Mercúrio a um intermediário, um agente ou mensageiro entre o Sol e o resto do sistema solar. Num comprimento de onda de entrada, essa função é experimentada no indivíduo como identificação, percepção e conscientização. Num comprimento de onda de saída, é aquilo que nos leva a transmitir essas percepções e conscientizações.[5]

Portanto os astrólogos pensam em Mercúrio no mapa natal como algo que atua como mediador ou negociador, ajudando as comunicações.

Mercúrio, o Deus Mensageiro

Na mitologia, Mercúrio recebe o nome da divindade que os gregos chamavam de Hermes. Hermes substituiu o deus babilônio Nebo; e depois os romanos chamaram-no de Mercurius. Essa pobre divindade já passou por várias mudanças de nome.

Nos mitos gregos, logo depois de nascer, Hermes pôs-se a procurar o gado que pertencia a seu irmão Apolo. Ele fez com que seus "cascos virassem ao contrário, os dianteiros por último e os traseiros primeiro", escondendo o gado na caverna do deus solar, Apolo.[6]

Ele também é conhecido como o "deus trapaceiro", por conta de todas as maquinações que costumava fazer.

Hermes era ainda a única divindade capaz de ir ao mundo inferior e mortal de Hades e voltar. Isso é similar à realidade das temperaturas extremas da superfície do planeta. Quente/frio.

Mercúrio é representado hoje como um deus com pés alados, percorrendo grandes distâncias a enormes velocidades, no papel de mensageiro dos deuses. São esses atributos que espelhamos na Astrologia. Não estamos dizendo que os atributos de Gêmeos são exatamente os mesmos que os do planeta Mercúrio, só que são similares, têm qualidades análogas.

Mercúrio tem um lado sombrio e um luminoso; Gêmeos pode ser alegre e despreocupado, algumas vezes, e sombrio e sujeito a flutuações de humor, em outras ocasiões.

Bem, e o que outros astrólogos dizem a respeito de Gêmeos?

A Visão de Outros Astrólogos

Eis o que diz Rae Orion em seu livro *Astrology for Dummies*:

O Lado Alegre
Eternamente jovem, dizem eles. Você é esperto, alegre e totalmente interessado pela vida. Em sua busca incessante

por estímulos mentais, você se fascina com a diversidade do mundo... quando domina um novo talento, viaja para um lugar diferente, explora uma nova área de conhecimento ou conhece uma pessoa, você se sente revigorado...

O Lado Triste

Você fala demais. Você exaure as pessoas. Você consegue até esgotar seu próprio interesse por uma ideia porque fala sobre ela até ela morrer. Quando você engata a sexta marcha, o que é comum, fica nervoso e tenso... Você é o camaleão original.[7]

Eis o que diz Christopher McIntosh em seu livro *Astrology*:

"Como Mercúrio é o planeta da mente, o geminiano típico tem raciocínio ágil e é habilidoso. Ele tem sucesso em muitas atividades diferentes, mas tem dificuldades para se fixar numa única. Ele pode ser multitalentoso, mas sem dominar coisa alguma... e também é versado na comunicação escrita. Gêmeos é um signo duplo, e o geminiano costuma viver uma existência dupla, movendo-se com facilidade entre um papel e outro".[8]

E Linda Goodman, qual é a sua visão sobre Gêmeos?

"Quase todo geminiano fala, entende ou lê mais de uma língua, e o francês é a favorita. De um modo ou de outro, Gêmeos triunfa com as palavras. Ele se inicia com o Dicionário de Oxford*. Ele consegue vender cubos de gelo para esquimós ou sonhos para um pessimista. Se você perceber um erro nele, ele consegue mudar de assunto tão depressa e desviar a atenção com tanta destreza que a questão vai deixar você na berlinda, e não ele".*[9]

♊ Como escutar um Geminiano ♊

Vamos perguntar a Maritha Pottenger em seu *Easy Astrology Guide: How to Read Your Horoscope*:

> *"Sol em Gêmeos. Você precisa brilhar com fluência. Você pode obter ou buscar reconhecimento por sua capacidade verbal. Esta pode ser tanto do nível de um professor quanto da fofoca entre vizinhos, do sujeito que é hábil com trocadilhos até o uso de um vocabulário mais amplo. Você precisa brilhar por meio de sua versatilidade. Provavelmente, você se orgulha dela (ou sente vergonha de sua tendência a ter interesses em excesso). Movido por uma curiosidade ampla, você pode brilhar em diversas áreas. Você (também) procura o reconhecimento por seu brilho mental e por sua agilidade e flexibilidade..."*[10]

Felix e Bryan mencionam, em seu *The Instant Astrologer*, estas palavras-chave:

> *"Versátil, curioso, superficial, estimulante, comunicativo, inquieto, sociável, de raciocínio rápido, volúvel, destro, engenhoso, difuso, inconsistente, tagarela, habilidoso, irreverente.*
>
> *Brilhante, sociável e comunicativo num dia, carrancudo e ranzinza no outro, o signo de Gêmeos é, inquestionavelmente, o signo mais volátil do Zodíaco. O fato é que, embora sejamos todos formados por muitos "eus", que de algum modo conseguem se mascarar como uma só pessoa, Gêmeos é a encarnação viva da personalidade dividida... A figura dos gêmeos representa a natureza dupla do signo, bem como o desafio para se entender com o mundo dos opostos – luz e trevas, crença e cinismo, intuição e razão."*[11]

Creio que podemos dizer com segurança que Gêmeos abrange atributos como a comunicação, a dualidade e a mutabilidade.

Amor pela Comunicação e por Idiomas

Esta é a qualidade pela qual o geminiano mais se destaca. Ser ouvido e compreendido. Ele adora explicar coisas. Não que ele queira parecer mais esperto do que você; é que ele gosta do processo de transmissão de informações.

Ulrika mora e trabalha em Zurique, na Suíça, como tradutora e professora. Ela nos fala um pouco sobre seu eu geminiano:

"Aquilo que considero tipicamente geminiano em mim é que sou muito rápida para captar as coisas e as tendências... 'Descubro' as coisas muito antes que se tornem uma tendência ou a norma. Definitivamente, sou uma mensageira e transmissora de informações para os outros".

Perguntei-lhe quantas línguas ela fala. *"Cinco"*, foi a resposta.

Depois, perguntei a Veronica sobre sua habilidade com idiomas. Ela mora no Reino Unido, numa grande cidade universitária, e trabalha lá como professora:

"Bem, estou um pouco enferrujada em algumas delas, mas entendo ou entendi um pouco das seguintes línguas, em graus variados: grego antigo, grego moderno, latim, francês, norueguês, sueco, dinamarquês, espanhol e galês; e, se eu não fosse tão preguiçosa, estaria estudando um pouco de português e de servo-croata, porque não me sinto bem visitando outros países sem conhecer nada de sua língua.

Uma língua de que gosto, mas que nunca consegui aprender, é o islandês, pois as aulas conflitavam com meu horário de trabalho quando eu estava estudando línguas escandinavas. Sou fluente em norueguês, quase bilíngue, além de minha língua nativa, inglês, e

♊ Como escutar um Geminiano ♊

consigo traduzir do sueco e do dinamarquês melhor do que minha proficiência verbal possa sugerir".

Então, perguntei-lhe qual era sua forma predileta de comunicação. Seria e-mail, cartas, telefone ou frente a frente?

"Você se esqueceu da telepatia!

O e-mail é a forma mais fácil (adorava escrever cartas antes de aparecer o e-mail, e para mim ele se tornou um estilo de vida, como por exemplo durante meu casamento), mas textos eróticos são muito divertidos. O telefone pode ser ótimo, especialmente com pessoas que não são muito atentas quando nos reunimos com elas ao vivo – elas precisam se esforçar para prestar atenção no telefone!

Também gosto de receber cartas escritas à mão e aprecio uma bela caligrafia; na verdade, ela me excita. (Também me interesso por grafologia.) Nos assuntos do coração, creio que é mais apropriada a escrita para tratar do objeto de nossos desejos, como uma carta ou um poema.

A comunicação frente a frente funciona melhor com algumas pessoas, mas depende de quem seja. Eu procuro a forma mais satisfatória de comunicação de acordo com a pessoa".

Entre outros passatempos, ela gostava de estudar grego na escola!

"Grego antigo, grego moderno (que estudei sozinha por diversão), latim, francês, inglês, natação, equitação, leitura, especialmente poesia, redação criativa..."

Julie é uma cidadã britânica, mas mora e trabalha em Florença, na Itália. Ela nos conta suas preferências:

♊ O signo ♊

"Comunicação... Eu prefiro estar frente a frente para falar e conversar, e em segundo lugar, o telefone. Uso o celular para mandar mensagens e informar onde vou me encontrar com amigos etc. Sou um pouco preguiçosa para mandar e-mails e cartas, é mais rápido pegar o telefone e falar".

Kotryna estuda redação criativa na Lituânia. Perguntei-lhe qual é seu estilo de comunicação:

"Depende... Às vezes, passo algum tempo querendo me esconder do mundo e finjo que não existo; nesses períodos, qualquer contato cara a cara está fora de cogitação. É claro que a comunicação virtual também não é muito aceitável nessa época, mas é um meio-termo. Gosto de fazer muitas coisas ao mesmo tempo, e por isso a digitação (Skype, conversa pelo Facebook) é melhor: eu posso fazer muitas coisas de uma só vez (e conversar com muita gente ao mesmo tempo!). Às vezes, porém, desejo mesmo é ter um contato humano, real. Quando peço para ver alguém ao vivo, geralmente isso significa que eu quero algum tempo sozinha com a pessoa, sem distrações, e detesto quando essa pessoa vai acompanhada sem antes avisar. Não sou muito fã de cartas porque elas não são rápidas o suficiente para mim. Até e-mails. Gosto de uma conversa ao vivo, fluente. As cartas são boas quando você quer dizer alguma coisa sem ser interrompida e precisa pensar bem no vocabulário".

Mandana mora e trabalha na Indonésia e tem muitos amigos geminianos. Perguntei-lhe qual era a forma favorita de comunicação deles, e quantos telefones (celulares ou fixos) eles tinham.

De que forma de comunicação eles gostam mais? Cara a cara, telefone, mensagem de texto, computador/e-mail ou cartas?

"Quanto mais rápida, melhor, e quanto mais direta, melhor. Portanto as preferidas, em ordem decrescente, seriam cara a cara, telefone, mensagem de texto e as redes sociais. E-mails e cartas NÃO SÃO FORMAS SUFICIENTEMENTE RÁPIDAS."

E quantos telefones, celulares ou fixos, eles têm? Por favor, inclua até os celulares que eles não usam e as linhas fixas de casa

"Em média, dois celulares (1 GSM e 1 CDMA), dos quais provavelmente um é Blackberry. Além disso, uma linha fixa, não muito usada, instalada em casa."

Veronica tem uma história para contar sobre o uso de telefones:

"Tenho uma linha fixa com três aparelhos sem fio e uma secretária eletrônica. Dois celulares em uso corrente, um dos quais eu utilizo principalmente como câmera de reserva. Nada vistoso. (Um caiu do céu – encontrei-o quebrado numa estrada do interior, mas era melhor que o meu e, estranhamente, era do mesmo modelo que o da minha neta. Com isso, ela podia me chamar pelo Skype sempre que precisasse, pois estava atravessando um momento bem difícil na vida.) Muitos dos meus celulares me foram dados. E ainda tenho todos os celulares antigos, desde 2000 (uns quatro), que não funcionam, mas sempre fico pensando em zerá-los para dá-los para alguma instituição de caridade. É que isso nunca é urgente o suficiente para que eu o faça hoje!"

Os geminianos adoram idiomas de todos os tipos. Meu ex-marido dizia que sua avó falava "inglês, iídiche e besteiras", e apesar de ele dizer que não era bilíngue, com certeza, sabia iídiche a ponto de entender e conversar com seus familiares.

Ulrika (que conhecemos há pouco) fala cinco línguas:

> *;Sou a fundadora e editora de um site bilíngue de permuta de casas. Entre as principais atividades, temos atendimento a clientes em diversas línguas e textos sobre o assunto para promover a ideia. A permuta de casas é um modo fantástico de viajar. Você conhece os moradores do lugar e é tratado como um convidado. Você nunca é um turista. Muitas vezes, seus anfitriões tornam-se seus amigos. Já ficamos num palazzo italiano, numa torre medieval, numa cabana inglesa com 250 anos, numa elegante casa contemporânea norte-americana e assim por diante – tudo de graça".*

Dualidade

> *Onde quer que eu esteja, sempre me flagro olhando pela janela, desejando estar em outro lugar.*
> – Angelina Jolie

Conheço muitos geminianos e tenho visto suas posturas múltiplas diante da vida. Às vezes, não sei quem eu vou encontrar da próxima vez em que os vir, e eles se sentem muito à vontade com essa capacidade de mudar de humor e de ideia.

Como disse John Wayne, com Sol em Gêmeos e Lua em Escorpião:

> *"Cada um de nós é uma mescla de boas qualidades e de outras não tão boas. Ao analisar outras pessoas, é importante lembrar-se das coisas boas... Devemos evitar julgar alguém só porque o sujeito é um FDP podre e safado".*

♊ Como escutar um Geminiano ♊

Uma frase tão tipicamente geminiana faz-me rir!

Joan Collins, a atriz inglesa, casou-se cinco vezes. Marilyn Monroe casou-se e se divorciou três vezes. Nicole Kidman, a atriz, casou-se duas vezes. O cantor Prince morou uma vez com uma pessoa e se casou duas vezes. Judy Garland, outra atriz, casou-se cinco vezes. Bob Dylan casou-se e se divorciou duas vezes. Tom Jones casou-se uma vez, mas teve diversos casos. Brooke Shields casou-se duas vezes. Bob Hope casou-se duas vezes e também teve diversos casos. Ray Davies casou-se três vezes, e o mesmo fez Paul McCartney, e John Wayne casou-se três vezes e se divorciou duas.

Contudo não fique com a ideia de que *todos* os geminianos se casam mais de uma vez. Muitos se casam e são bem felizes, e minha tia é um exemplo disso.

O que estou querendo dizer é que se um geminiano perde o interesse por alguma coisa, ou tira o olho da bola, vai querer "mudar". E na maioria das vezes essa mudança gira em torno de alguma coisa que ele pode "fazer", em vez de mudar pessoalmente. Bob Dylan e Prince mudaram de posição religiosa e se converteram a outras crenças.

Se quiser entender melhor a mutabilidade geminiana, analise as obras de arte de Damien Hirst.

Violet é mãe e escritora, e mora e trabalha em Gales. Eu lhe perguntei sobre uma de suas características geminianas:

"Duas famílias em países diferentes... gosto de ter a mesma coisa em duplicata (ou mais, porém nunca conjuntos, como de louças)".

♊ O signo ♊

Dualidade Sexual

*Já me interessei por outras mulheres,
mas nunca fiz nada a respeito.*

– Kylie Minogue

Isadora Duncan, a bailarina, é um exemplo clássico de dualidade sexual. Ela não só teve diversos relacionamentos antes de se casar, como teve um caso e também um relacionamento com outra mulher; logo, no mínimo sua sexualidade era mutável.

Angelina Jolie não se constrange ao admitir que sente atração pelos dois sexos:

> "Vocês têm razão em pensar isso de mim, pois sou a pessoa mais inclinada a dormir com minhas admiradoras; gosto de verdade de outras mulheres. E creio que elas sabem disso".

O ator Ian McKellen só "saiu do armário" com quarenta e poucos anos. Eis o que ele disse dos atores de sua geração:

> "Passamos tanto tempo fingindo ser heteros, ser outra pessoa, que acabamos ficando muito bons nisso. Não havia Graham Norton* na televisão naquela época, não havia gays entre os parlamentares, ninguém falava de direitos dos gays no rádio. Por isso, lidei com o assunto tentando excluir de mim essa parte, me esconder, sufocar uma parte de mim".

Numa palestra que fez para escolares em Londres, ele disse que:

---

* Apresentador homossexual assumido de um programa britânico de entrevistas.

"Gostaria que toda criança, todo professor, todas as pessoas nesta sala pudessem ser livres para ser o que são, qualquer que seja sua orientação sexual".

Outro exemplo famoso de experimentação e dualidade sexual é o Marquês de Sade, um aristocrata francês do século XVIII que não só se dedicava a atividades extremas como se tornou famoso mais tarde por seus livros. Um deles se chamava *Os 120 Dias de Sodoma ou a Escola da Libertinagem*, que ele escreveu enquanto estava preso na Bastilha por envenenamento e sodomia. Seu Ascendente era Escorpião, o que, imagino, contribuiu para esse estilo de vida...

Assim como esse signo representa os gêmeos, há diversas opções e alternativas para a sexualidade de um geminiano. Nada é permanente ou duradouro.

Inconstância

Diana está com trinta e poucos anos e mora e trabalha na cidade de Nova York. Ela resume sucintamente sua geminianidade:

"Tive mais de trinta empregos ao longo da vida e me mudei quinze vezes, talvez um pouco mais. Meu assunto favorito: inglês. Passatempos: ler, conversar, na verdade, dar sermões... haha. Além disso, gosto de pesquisar assuntos espirituais e ocultistas, fazer exercícios, caminhadas. Duas línguas".

Rosemary tem 31 anos, mora em Northampton, no Reino Unido, e trabalha com varejo. Perguntei-lhe sobre mudanças.

♊ O signo ♊

Quantas vezes você mudou de casa ou de emprego na vida, até agora?

"Desde meus 18 anos, eu mudei de casa umas dezoito vezes. Desde os 14, tive uns dezessete empregos".

Quais eram suas matérias prediletas na escola? Quais são os seus passatempos hoje?

"Na escola, eu gostava de artes. Hoje, meus passatempos são viagens, artesanato, mas não tenho muita certeza do que eu queira atualmente. Durante algum tempo, desenhei joias, mas isso me entediou. Estou pensando em lidar com moda, e quem sabe fazer um curso de teatro ao mesmo tempo. Recentemente, descobri meu lado espiritual, e por isso quero conhecê-lo melhor".

Rebecca tem pouco mais de 50 anos e trabalha como coordenadora acadêmica numa faculdade em Portsmouth, Inglaterra. Ela também passou por muitas mudanças na vida:

"Montes. Tive cerca de vinte empregos e apenas vinte casas diferentes, e estou com 51 anos, por isso talvez não seja tão geminiana assim".

Achei engraçado quando ela disse "talvez não seja tão geminiana". Conheço pessoas que moraram na mesma casa e tiveram o mesmo emprego durante toda a vida...

Quais eram suas matérias favoritas na escola e quais são os seus passatempos hoje?

"Na escola, línguas e esportes. Esportes, caminhar pelas montanhas, café ou vinho com amigos, Astrologia".

II Como escutar um Geminiano II

Como antes, Mandana nos fala de seus amigos e parentes geminianos na Indonésia:

Quantos empregos, em meio período ou período integral, ou empresas eles tiveram?

"Geralmente, eles têm um emprego em período integral e um trabalho adicional para ajudar um amigo, às vezes, uma pequena empresa para vender alguma coisa. Meu primo trabalha como produtor numa estação de TV local e também vende biscoitos e muffins; meu irmão trabalha no marketing de uma estação de TV e ajuda sua amiga a administrar a loja de roupas; minha mãe vende pacotes de Hajj* para pessoas que querem fazer a peregrinação a Meca, e vende roupas femininas, lenços, bolsas, xales e acessórios para amigos e familiares quando tem tempo e dinheiro para fazer compras".

Qual a natureza do trabalho deles?

"Marketing, gestão de pessoas, vendas – inclusive venda de serviços".

O geminiano Clint Eastwood tem posições bastante claras sobre mudanças:

"Concordo que quando você atinge certo estágio na vida, você muda. E deve mudar. As pessoas perguntam se você mudou desde tal ou qual momento. Bem, é claro que mudei. Agora, se mudei para melhor ou pior é outra questão. Se uma pessoa evolui constante-

---

* Dever obrigatório do muçulmano, ritual de reflexão que consiste na visita a Meca. (N. do T.)

mente, lê sempre coisas novas e se expõe a novos interesses, cresce na vida, então ela se torna, espera-se, alguém mais inteligente e equilibrado. Se não, tem alguma coisa errada, e a pessoa está se voltando para outra direção".

Obviamente, a mudança é algo que está na estrutura de sua psique, mas nem sempre é correto dizer que a mudança é necessariamente um sinal de desenvolvimento. Os signos fixos – Touro, Leão e Escorpião – relutam muito antes de mudar, e em alguns casos isso é estressante para eles.

O ator inglês Hugh Laurie, geminiano, tem uma visão diferente sobre a mudança. Para ele, não importa o que esteja fazendo, é como se a grama do vizinho fosse sempre mais verde:

"Creio que sou dessas pessoas que sempre querem fazer aquilo que não estão fazendo atualmente. Estou sempre com esse anseio triste, melancólico, de querer estar fazendo outra coisa".[12]

A atriz geminiana Helena Bonham Carter gosta de mudar sua aparência:

"Gosto de mudar minha aparência, porque sempre me sinto muito estranha assistindo a algum filme no qual trabalho".

Esse apreço geminiano pela mudança pode se refletir no casamento, como vimos no caso de Joan Collins e outros, no emprego ou no local de moradia.

Perguntei a Rebecca quantas vezes ela tinha mudado de casa e de emprego até aquele momento:

♊ Como escutar um Geminiano ♊

"Casas: só dezesseis lugares em 67 anos. Empregos... pouquíssimos. Criei meus filhos durante muitos anos. Tive só uns quatro empregos, e um deles durou 22 anos. Mas trabalhei em outras coisas, a maioria pro bono, e faço muitas outras atividades hoje".

Ulrika mora e trabalha na Suíça como tradutora.

"Mudei de casa onze vezes e de emprego dez vezes".

Se você tem um geminiano trabalhando para você, não espere que ele fique para sempre na empresa. Se tem uma coisa que os geminianos mudam muito é de emprego. Eles gostam muito de empregos que os levem a lugares diferentes, ou nos quais eles possam borboletear entre dois lugares. Tive um chefe que adorava o fato de seu emprego não ser sediado apenas num espaço de escritório. Ele podia sair, encontrar-se com clientes, compradores e fornecedores, e seu dia podia ser tão variado quanto ele quisesse. Vendedores ambulantes sempre me vêm à mente quando penso em Gêmeos.

Como iremos trabalhar com o mapa de Bob Dylan, vamos ver as mudanças que aconteceram em sua vida.

Ele mudou de nome – de Robert Allen Zimmerman para Bob Dylan – em 1962. Seus pais eram judeus e ele se converteu ao cristianismo no final da década de 1970.

Ele escreveu as seguintes músicas:

Times Have Changed [Os tempos mudaram], I Feel a Change Comin' On [Sinto que vem aí uma mudança], Gonna Change My Way of Thinking [Vou mudar meu modo de pensar – se esta não é uma música com título geminiano, não sei qual será!], Things Have

Changed [As coisas mudaram] e o disco *The Times They are a-Changing [Os tempos estão mudando]*.

Ele deixou de ser um cantor *folk* que tocava violão acústico e passou a tocar guitarra, o que causou muita controvérsia na época. Em 1986, fez experiências com música *rap* e na década de 2000 lidou com *rockabilly*, *swing* ocidental, *jazz* e baladas *lounge*.

Ninguém pode acusá-lo de ficar muito tempo parado! Ele também se casou e se divorciou duas vezes.

Capítulo 2

♊ Como montar um mapa astral ♊

Hoje em dia, elaborar um mapa é muito mais fácil. Quando minha amável tia lidava com Astrologia, precisava montar mapas usando fórmulas complicadas, resolvendo problemas matemáticos com longitudes e latitudes, levando em conta a hora do dia e toda aquela confusão sobre "Horário de Verão"... Fico feliz por terem inventado computadores e programas que calculam tudo isso.

Só precisamos saber três coisas:

A data em que a pessoa nasceu.
O lugar onde nasceu.
E o **horário** de nascimento.

Só isso!

Puxa, posso ouvir você dizer, eu *não sei o horário de nascimento de meu geminiano!* É aí que você precisa virar detetive, pois, sem o horário de nascimento, o mapa não terá precisão.

II Como montar um mapa astral II

Em alguns países, como na Escócia e em partes dos Estados Unidos, o horário de nascimento vai escrito na certidão de nascimento.*

Se o seu geminiano nasceu como gêmeo na Grã-Bretanha (Sim! Isso acontece!), o horário estará na certidão de nascimento, porque todos precisam saber qual bebê nasceu primeiro.**

Se o registro não incluir o horário, você terá de perguntar à mãe ou ao pai, se tiver sorte, talvez eles se recordem; mas se o geminiano nasceu há mais de trinta anos, a precisão e a memória podem estar prejudicadas. Às vezes, as famílias anotam o horário de nascimento na Bíblia da família (a nossa fazia isso), ou às vezes há um livro dos nascimentos, que pode trazer a informação. Se você tiver muita sorte, terá algum parente que gosta de Astrologia e que anotou fielmente os dados de nascimento. Sou uma delas, pois minha adorável tia registrou meus dados natais em suas Efemérides. Obrigada, tia Jo!

Se não tiver o horário, não se preocupe. Ainda é possível descobrir o signo dos planetas de seu geminiano, mas não a localização, e por isso você terá de pular os Capítulos 3 e 5.

Antes de qualquer coisa, precisamos encontrar um bom *website* que seja gratuito e preciso. O *website* que vamos usar está sediado na Suíça, numa cidade chamada Zollikon, com vista para o lago Zurique. Eu estudei em Zurique, e por isso eu sei que essa vista é linda! O Astrodienst, que significa "Serviço Astro", é um *website* real, usado por astrólogos de verdade. Ele

---

* No Brasil, a certidão costuma trazer o horário do nascimento. (N. do T.)
** A razão para isso é que na Grã-Bretanha o primogênito é o herdeiro dos pais, com a exclusão dos irmãos nascidos posteriormente, ao contrário do Brasil, onde todos os filhos herdam igualmente. (N. do T.)

recebe mais de 6 milhões de visitas por mês e tem mais de 16 mil membros, por isso você estará em boa companhia.

Vá até http://www.astro.com e abra uma conta.

Eles só vão pedir o seu e-mail, e nada mais (a menos que você queira acrescentar outras informações).

Você pode montar um mapa como "guest user" (usuário convidado) ou fazer o que eu recomendo – que é criar um "free registered user profile" (perfil de usuário gratuito e registrado). Isso significa que toda vez que você faz *login*, o site saberá que é você, tornando a sua vida muito mais fácil.

Depois de digitar os seus dados –

Data
Hora
Local de nascimento

– seu mapa será montado.

Vá até a seção marcada "Free Horoscopes" (horóscopos gratuitos) e desça pela página até ver o item:

Extended Chart Selection (seleção estendida de mapas)

Clique nesse link, e você será levado para uma página com muitas opções, mas os principais títulos à esquerda são:

Birth data (dados de nascimento)
Methods (métodos)
Options (opções)
Image size (tamanho da imagem)
Additional objects (objetos adicionais)

Acrescente as informações nas caixas, se é que não o fez, e clique na seção marcada House System (sistema de casas) sob o título Options.

Desça até ver "equal" e clique no botão. Isso divide seu mapa em segmentos iguais, e é o sistema no qual este livro se baseia.

Agora, clique no botão azul onde se lê "Click here to show the chart" (clique aqui para ver o mapa) e – *pronto!* – seu mapa vai aparecer em outra janela.

Sistema de Casas Iguais *Versus* Sistema de Placidus

O sistema padrão desse *website*, e da maioria dos sites e programas astrológicos para computador, exceto aqueles que eu uso, é chamado de Placidus. Com isso, cada uma das casas, sobre as quais iremos aprender no Capítulo 5, tem um tamanho diferente... e, na minha cabeça, o mapa parece grosseiro e desigual.

O sistema de Casas Iguais é o mais velho e era o que os antigos usavam até o senhor Placidus aparecer e fazer algumas mudanças.

Segundo Herbert T. Waite, em *The New Waite's Compendium of Natal Astrology*, em 1917, o sistema de Placidus era:

"... muito usado atualmente, assim como no século XVII, e adotado geralmente na Inglaterra no século XVIII, hoje (por engano), aqueles não muito informados supõem que seria esse o sistema padrão tradicional, simplesmente porque as tabelas de casas baseadas nele... foram publicadas há um século, sendo desde então imitadas e transmitidas, permitindo aos alunos copiar as casas apresentadas sem questionar o seu significado. As tabelas de casas comumente apresentadas são, na verdade, tabelas de 'Casas Segundo Placidus.'"[13]

♊ Como escutar um Geminiano ♊

A maioria das pessoas não se vale das tabelas em livros impressos, mas sim de programas de computador; mesmo assim, cem anos depois de Herbert ter escrito isso, esse "sistema" é copiado de forma aleatória e sucessivamente, sem se dar muita atenção ao que é esse sistema ou à maneira como funciona. Basta dizer que há cerca de seis "sistemas" principais, e o de Casas Iguais é o mais antigo. Falarei mais disso no Capítulo 5.

No centro do mapa, os segmentos (que são chamados de casas) são numerados de 1 a 12 no sentido anti-horário.

Estes são os símbolos que representam os signos. Descubra qual corresponde ao seu. Eles são chamados de glifos.

Áries ♈
Touro ♉
Gêmeos ♊
Câncer ♋
Leão ♌
Virgem ♍
Libra ♎
Escorpião ♏
Sagitário ♐
Capricórnio ♑
Aquário ♒
Peixes ♓

Os Elementos

Para compreender plenamente o seu geminiano, você precisa levar em conta o Elemento em que estão seu Ascendente e sua Lua.

Cada signo do Zodíaco está associado a um elemento que o governa: Terra, Ar, Fogo e Água. Gosto de imaginar que eles atuam em "velocidades" diferentes.

Os signos de **Terra** são **Touro**, **Virgem** e **Capricórnio**. O elemento Terra é estável, arraigado e ocupa-se de questões práticas. Um geminiano com muita Terra em seu mapa funciona melhor a uma velocidade bem baixa e constante (refiro-me a eles no texto como "Terrosos").

Os signos de **Ar** são o nosso amigo **Gêmeos**, **Libra** e **Aquário** (que é o "Aguadeiro", mas *não* um signo de água). O elemento Ar gosta de ideias, conceitos e pensamentos. Opera numa velocidade maior que a Terra; não é tão rápido quanto o Fogo, mas é mais veloz do que a Água e a Terra. Imagine-o como tendo uma velocidade média. (Refiro-me a eles como signos "Aéreos".)

Os signos de **Fogo** são **Áries**, **Leão** e **Sagitário**. O elemento Fogo gosta de ação e excitação e pode ser muito impaciente. Sua velocidade é *muito* alta. (Refiro-me a eles como "Fogosos", ou seja, do signo de Fogo).

Os signos de **Água** são **Câncer**, **Escorpião** e **Peixes**. O elemento Água envolve sentimentos, impressões, palpites e intuição. Opera mais rapidamente do que a Terra, mas não tão rápido quanto o Ar. Sua velocidade seria entre lenta e média. (Chamo-os de signos "Aquosos".)

Capítulo 3

♊ O ascendente ♊

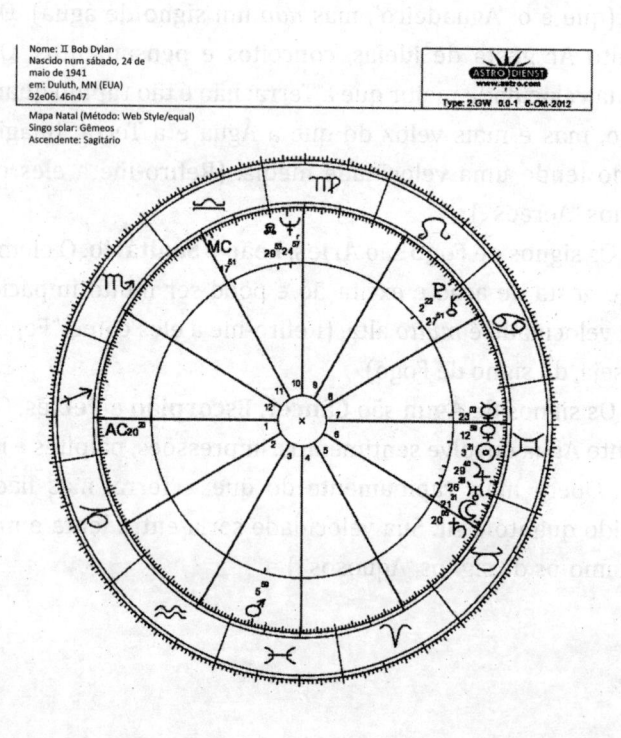

Nome: ♊ Bob Dylan
Nascido num sábado, 24 de maio de 1941
em: Duluth, MN (EUA)
92o06, 46n47

Mapa Natal (Método: Web Style/equal)
Singo solar: Gêmeos
Ascendente: Sagitário

Agora, você já deve ter feito o seu mapa, mas, se ainda não estiver confiante, pode usar este que apresento acima.

♊ O ascendente ♊

Este é o mapa de Bob Dylan. Você também pode montá-lo. Seus dados estão no final deste livro, mas vou transcrevê-los aqui para que você possa me acompanhar.

Data: 24 de maio de 1941
Local: Duluth, MN, EUA
Hora: 21h05

Passei um bom tempo tentando decidir que mapa usaria neste livro, pois tinha de ser alguém que a *maioria* das pessoas conhecesse. Tive de jogar os dados para decidir entre Paul McCartney ou Bob Dylan, e fiquei com Bob porque Paul é famoso por ter sido parte dos Beatles, enquanto Bob ficou famoso exclusivamente por seus méritos. Bem, foi assim que raciocinei.

O mapa que você fará terá muitas linhas indo de planeta para planeta.

Ignore-as.

Montei o mapa de Bob sem essas linhas de "aspectos", para facilitar a localização das coisas que precisamos saber.

No momento, tudo vai parecer uma confusão só. Não se preocupe, não é tão difícil assim.

Se você olhar para a posição quinze para as nove, na linha horizontal que atravessa o mapa da direita para a esquerda, verá as iniciais ASC e, em letras bem pequenas, os números 20.

Em linguagem astrológica, isso significa "o Ascendente de Bob está em 20 graus e 20 minutos no signo de Sagitário".

Mary, onde é que está esse Sagitário?

Olhe de novo.

Essas iniciais ASC estão bem no meio do símbolo de Sagitário, que se parece com uma flecha.

Mas do que você está falando, Mary? Imaginei que você tinha dito que Bob é geminiano.

Sim, ele é claramente geminiano, mas, como ele nasceu às 21h05, o signo que estava se elevando no horizonte oriental era Sagitário... e nós chamamos esse pedaço do céu de Ascendente.

Não é um planeta.

Não é o Sol ou a Lua; estas são partes diferentes do mapa.

O Ascendente é o ponto onde o mapa começa. Ele é definido pelo momento em que a pessoa se torna viva, respira pela primeira vez, começa a viver na Terra, e não mais na barriga da mãe.

O Momento do Nascimento

Os astrólogos consideram o Ascendente um momento auspicioso no tempo.

Não é mesmo?

O minuto em que você chega ao mundo não é o momento *mais* importante de sua vida?

Bem, é assim que os astrólogos o consideram.

Como o Ascendente é determinado pelo momento do nascimento, se Bob tivesse nascido às 9h05 (da manhã), seu signo Ascendente estaria em Leão. Por isso, dá para entender a razão pela qual é tão importante saber o *horário* de nascimento correto. Se o horário estiver errado, não só o Ascendente estará errado, como os outros componentes do mapa estarão em lugares diferentes.

A importância que a Astrologia atribui ao Ascendente deve-se ao fato de ele nos ajudar a entender como a pessoa lida com a vida. É, por assim dizer, seu Caminho de Vida. Se o Ascendente estiver no signo de Capricórnio, então a "visão" do caminho de vida será mais concreta e prática do que se ele estivesse no signo de Peixes, pois então o contato maior se daria com sentimentos e fadas.

Acredita-se que o Ascendente também representa a maneira como você reage numa situação intensamente estressante, como você inicia um projeto... Uma pessoa com Ascendente em signo de Fogo vai lidar com um projeto de forma muito mais rápida do que alguém com um Ascendente em signo de Terra. Pense nele como seu signo de Primeiros Socorros e lembre-se das velocidades que descrevi no capítulo anterior.

O Ascendente de Bob está em Sagitário, um signo de Fogo ágil, que lhe permite fazer julgamentos rápidos, lhe proporciona o prazer nas relações internacionais e a apreciação de outras culturas e outros modos de vida. Ele explorou formas de espiritualidade diferentes com o judaísmo e o cristianismo, e às vezes ele é chamado de pregador e de cantor. Ele também gosta de dizer as coisas "da forma como elas são" e não se importa em ofender alguém se achar que tem razão.

No entanto, por baixo dessa aparência, há ainda os voos geminianos da fantasia, a necessidade geminiana de se comunicar, de perguntar, de acrescentar variedade e de pesquisar e questionar constantemente.

Vamos estudar agora aqui os diversos Ascendentes, na ordem zodiacal, que seu geminiano pode ter. Estude o mapa e descubra qual corresponde ao de seu geminiano e leia. Vai ajudá-lo a compreender o geminiano um pouco melhor.

♊ Como escutar um Geminiano ♊

Ascendente em Áries

Você já mostrou que é selvagem.
Não deixe que o domem.
– Isadora Duncan

Regido pelo corajoso Marte, o Deus da Guerra, o Ascendente em Áries dá à pessoa a atitude para sair brigando desde o gongo inicial. São heroicos, ousados e fortes e, de modo geral, podem ser acusados de chegar bravamente a lugares que os anjos receiam frequentar. Num geminiano, esse Ascendente torna-o mais autoconfiante e um pouco mais impaciente.

Ascendente em Touro

Agora eu preciso pegar um pedaço de madeira e fazê-lo soar como uma
estrada de ferro, mas também tenho de torná-lo belo e adorável,
para que a pessoa que o tocar pense nele como se pensasse
na amante, num bartender, na esposa,
num bom psiquiatra – o que quiser.
– Les Paul*

O geminiano com Ascendente em Touro quer tirar o pé do acelerador e sentir o aroma das rosas enquanto traça o curso de sua vida. Não o apresse, não reclame; esse é um Ascendente mais lento e mais determinado, que quer se sentir seguro e satisfeito. O geminiano pode ter dificuldades para alinhar essa parte de sua psique e pode resistir à energia pesada que ela representa... e

---

* Criou uma das primeiras guitarras elétricas com corpo sólido e é conhecido especialmente como idealizador do modelo Gibson Les Paul. (N. do T.)

iniciar um novo projeto, percebendo depois que está inseguro ou ansioso. Seu lema deve ser "Lenta e Firmemente".

Ascendente em Gêmeos

O importante não é o que eles pensam de mim,
mas o que eu penso deles.
– Rainha Vitória

Agora temos uma dobradinha. Ser de Gêmeos e ter o Ascendente em Gêmeos significa que há quatro pessoas no recinto, todas querendo se satisfazer. Socorro! Como agradar toda essa gente? Variedade, movimento e mudança estão no cardápio e ajudam a satisfazer aquela postura de "a grama do vizinho é sempre mais verde". Eles vêm ao mundo fazendo perguntas. A principal delas é "Por que eu?".

Ascendente em Câncer

Estou contente por ter conseguido voltar à inocência e
à beleza da infância ao formar minha própria família.
Meus filhos me trouxeram de volta parte desse espírito.
– Angelina Jolie

Quem tem Ascendente em Câncer sempre terá uma visão focada na família e nas coisas próximas ao lar. Ele torna o geminiano mais interessado naquilo que é tradicional, centrado no lar e orientado para a família. Não há nada de que gostem mais do que compartilhar suas tiradas e seu humor com aqueles que têm "o mesmo sangue", literal ou figurativamente.

Ascendente em Leão

Todos têm no íntimo uma boa notícia.
A boa notícia é que você não sabe como pode ser grande!
Como pode amar! Tudo que pode realizar!
– Anne Frank

Olhem para mim! Esta deveria ser a principal frase do Ascendente em Leão. Eles adoram todo tipo de atenção. São pessoas alegres, animadas, quase sempre felizes e, na maioria das vezes, otimistas. Adoram atenção e demonstrações de afeto... "Querida!" A pior coisa que você pode lhes fazer é ignorá-los, pois assim eles se retraem em seu azedume.

Ascendente em Virgem

Quanto mais limitações nós nos impomos, mais nos libertamos.
E a arbitrariedade da limitação serve apenas para obtermos
uma execução mais precisa.
– Igor Stravinsky

Este é o signo que gosta de sua capacidade de absorver os detalhes de tudo. Gosta de dedicar o tempo que for preciso para saber exatamente como funciona alguma coisa; ser vago não é do seu feitio. Ele pode passar literalmente horas reunindo dados ou categorizando as coisas, mental ou literalmente. Talvez não seja muito organizado, mas sua mente está sempre buscando ser organizada.

♊ O ascendente ♊

Ascendente em Libra

Todos têm o direito de se apaixonar e de consumar esse amor.

– Paula Abdul

Relacionamentos e parceiros são importantes para Libra. Seu coração precisa estar envolvido por um cálido aconchego, e ninguém deve discutir ou se afastar. Regido por Vênus, a Deusa do Amor, ele quer o amor com "A" maiúsculo, e romance e flores estão no alto de sua lista. Se ele não está envolvido num relacionamento, eu prescreveria um, pois ele só se sente realmente feliz quando pode compartilhar a vida com alguém, de modo equânime e justo.

Ascendente em Escorpião

Eu me descreveria como uma pessoa emotiva e nervosa. Se alguma coisa me incomoda, ela realmente me incomoda. Se alguma coisa me deixa brava, fico brava de verdade. Mas é tudo muito aberto. Não consigo esconder nada. Além disso, sou leal e imagino que seja divertida.

– Nicole Kidman

Sua palavra-chave é intensidade. Confiança também é um ponto importante. Toda tarefa é tratada com vigor e concentração. Este não é um signo suave. Governado por Plutão, o planeta das transformações profundas, este Ascendente dá a um geminiano a capacidade de ir audaciosamente a lugares que outros jamais pensariam em ir. Suas emoções são fortes e suas memórias são duradouras.

Ascendente em Sagitário

As pessoas raramente fazem aquilo em que acreditam.
Fazem o que é conveniente e depois se arrependem.
– Bob Dylan

Direcionando suas flechas da descoberta bem para o alto, no céu, para um geminiano o Ascendente em Sagitário traz uma postura curiosa, de pesquisador, de quem parece nunca se satisfazer. Ele adora relações internacionais, explorar outras culturas e suas crenças e, se acha que tem razão, não há discussão ou argumento que o faça mudar de ideia. No entanto, sendo um geminiano, ele pode mudar, mas só quando está pronto.

Ascendente em Capricórnio

Trabalho muito e valho cada centavo.
– Naomi Campbell

Regido pelo severo Saturno, Deus dos limites e da responsabilidade fiscal, sua vida gira em torno daquilo pelo que precisam se esforçar. São ambiciosos e orientados para o futuro, e seu medo é a falta de recursos e/ou de dinheiro. Consequentemente, depois de descobrirem a direção que devem seguir, nada ficará em seu caminho, e, como um alpinista e não como um cometa, eles vão atingir esse ápice.

Ascendente em Aquário

Às vezes, você consegue mais de uma
parede do que de uma pessoa.
– Ray Davies

Um ascendente brincalhão e estranho para o geminiano. Regido por Urano, o planeta excêntrico, isso pode produzir uma pessoa que deseja ser "diferente". Essas pessoas anseiam ainda por liberdade e detestam instruções, ordens, regras e regulamentos, bem como qualquer coisa que os impeçam de explorar. São mais focadas em grupos do que nos indivíduos, e são definitivamente altruístas.

Ascendente em Peixes

Se matadouros tivessem paredes de vidro,
todos seriam vegetarianos.
– Paul McCartney

Fadas, o suave cântico de anjos, a conexão com o universo e a vastidão da criação encantam este Ascendente. Como resultado, atrasos e pensamento confuso. Ele adora as coisas esotéricas, tudo que não pode ser explicado. Ele consegue sentir a dor de alguém que está a 50 metros de distância, e fará de tudo para impedir mais sofrimento. É regido por Netuno, o Deus da água, que espalha emoções no reino dos sentimentos.

Capítulo 4

♊ A lua ♊

Se o Sol na Astrologia representa "quem" somos e nosso "ego", então a Lua, que na vida real reflete a luz do Sol, representa como nos sentimos com relação às coisas, em oposição àquilo que pensamos.

Isso é bom, caso seu signo solar e seu signo lunar se harmonizem, mas a situação se complica se o seu signo lunar não complementa as energias de seu signo solar.

Imagine que você é geminiano, signo de ar e de pensamento ágil, e tem a Lua em Capricórnio, signo de Terra que se move lentamente e gosta de fazer as coisas da maneira mais "apropriada".

Imagine ainda que você quer comprar uma casa e sua parte geminiana quer que você siga em frente, e que tudo seja resolvido em minutos, mas seu lado emocional (sua Lua) está sentindo que:

"Isto está indo rápido demais, precisamos pensar um pouco sobre isso e ver se temos todos os fatos, o histórico da casa, e... também precisamos saber como são os vizinhos, porque sem bons vizinhos a vida pode ser uma desgraça..."

☊ A lua ☋

Assim, uma parte de você está buscando um resultado e a outra parte está se refreando, sentindo-se insegura e um pouco assustada diante de um passo tão importante.

É aqui que a Astrologia do signo solar se desmonta. Sem conhecer a verdadeira extensão das possibilidades de seu mapa, você pode passar pela vida alegremente sem nunca compreender por que fez determinada coisa e aconteceu outra. Gosto de pensar que mantenho TODAS as partes de meu mapa felizes, e, como pisciana com Lua em Gêmeos, eu tenho facilidade para compreender forças astrológicas opostas. Preciso de variedade e de mudança, mas também preciso estar "sintonizada" com o universo e com todas as coisas místicas.

Segundo minha experiência profissional, quando alguém aparece para uma leitura ou uma consulta, a parte do mapa que costuma "precisar de ajuda" é a Lua. Como, de modo geral, nosso eu racional se sobrepõe a nosso eu emocional... e quando nossas pobres luazinhas precisam de um pouco de carinho e atenção, você vai ficar feliz em saber que temos uma solução adequada.

Este é o símbolo da Lua: ☾. Em nosso mapa de exemplo, Bob tem a Lua no signo de Touro, fazendo com que ele saboreie os prazeres "simples" da vida.

As Essências Florais do Doutor Bach

Em 1933, o doutor Edward Bach, médico e homeopata, publicou um livreto chamado *The Twelve Healers and Other Remedies*.* Sua teoria era que se o componente emocional que fazia

---

* *Os Remédios Florais do Dr. Bach – Incluindo Cura-Te a Ti Mesmo e Os Doze Remédios*, publicado pela Editora Pensamento, São Paulo, 1990.

♊ Como escutar um Geminiano ♊

uma pessoa sofrer fosse removido, sua "doença" também iria desaparecer. Tenho de concordar com esse tipo de pensamento, pois a maioria dos males (exceto ser atropelado por um ônibus) é precedida por um evento desagradável ou por uma perturbação emocional que faz com que o corpo saia de sua sintonia. Remover o problema emocional e proporcionar alguma estabilidade à vida da pessoa, quando ela está passando por um momento difícil, pode melhorar tanto sua saúde geral que ela volta a se sentir bem.

Saber qual Essência Floral de Bach pode ajudar a reduzir as preocupações e os abalos dá a seu geminiano mais controle sobre sua vida. Recomendo muito as essências em minha prática profissional quando sinto que alguma parte do mapa da pessoa está indicando *estresse*... e geralmente é a Lua que precisa de ajuda. As essências descrevem os aspectos negativos do caráter, que são focalizados durante o tratamento. Essa conscientização ajuda a inverter essas tendências, e por isso, quando nosso eu emocional está bem e confortável, podemos enfrentar o dia com mais forças.

Para cada signo, citei as palavras exatas do doutor Bach.

Para usar as Essências, pegue duas gotas do concentrado, ponha-as num copo com água e beba. Costumo recomendar que elas sejam postas em uma pequena garrafa de água, para que sejam bebericadas ao longo do dia, pelo menos quatro vezes. No caso de crianças pequenas, faça o mesmo.

Lembre-se de procurar um médico, caso os sintomas não desapareçam, e/ou uma orientação profissional.

☽ A lua ☽

Lua em Áries

Acontece que sou uma das pessoas que enfiaram a segurança dos donos das pistas e dos fabricantes de carros pela garganta.

– Jackie Stewart

Esta é a Lua da ação e da energia. Como Áries é tão exuberante e assertivo, essas pessoas estão sentadas sobre um vulcão emocional. Os sentimentos são rápidos, ágeis e enérgicos, e se expressam poderosa e impetuosamente. Se esse nativo se irrita, assim como uma tempestade, tudo se esvai com o tempo, e ele não guarda rancores. O benefício mais óbvio disso é a honestidade de sua reação visceral a eventos.

Essência Floral de Bach *Impatiens*:

"Para os que são rápidos de raciocínio e ação e que desejam que tudo seja feito sem hesitação ou demora".

Lua em Touro

Sabe, até no meu camarim no estúdio tenho velas, almofadas, tapetes de cashmere e coisinhas assim.

– Joan Collins

Como signo fixo, a Lua em Touro deixa a pessoa emocionalmente consistente, é alguém que demora a mudar de ideia. Isso é bom, mas ela precisa ficar atenta para não se apegar a sentimentos ultrapassados. Além disso, quando seu lado terreno e sensual se encontra com o apreço natural que a Lua tem pelo luxo, isso pode tornar o nativo um dos maiores e mais acomodados apreciadores da boa vida. Por causa dessa tendência emocional e do fascínio pelo material, ele pode ter dificuldades diante da pobreza ou para abrir mão de seus bens.

Essência Floral de Bach *Gentian*:

"Para os que se desencorajam facilmente. Podem progredir bem no que se refere às doenças ou às questões da vida diária, mas qualquer imprevisto ou obstáculo a seu progresso gera dúvidas, e logo eles se deprimem".

Lua em Gêmeos

Adoro escutar essas coisas novas; quando estou em casa, em Los Angeles, sempre deixo o rádio ligado para saber o que está acontecendo.

– Tom Jones

A energia arejada e abstrata de Gêmeos, vivenciada por intermédio da Lua, torna o nativo propenso a analisar e a racionalizar seus sentimentos. O lado positivo disso é a clareza de seu autoconhecimento; o negativo é que as coisas ficam girando em sua cabeça até não restar outra solução exceto desligar o cérebro durante algum tempo. É útil falar de seus sentimentos; senti-los é mais difícil – por isso é interessante passá-los para o papel como um diário ou na forma de poesia.

Essência Floral de Bach *Cerato*:

"Para os que não têm confiança suficiente em si mesmos para tomar suas próprias decisões".

☊ A lua ☊

Lua em Câncer

Quando recordamos o passado, geralmente percebemos que são as coisas mais simples – e não as grandes ocasiões – que, em retrospecto, proporcionam o maior brilho de felicidade.
– Bob Hope

Temos aqui uma dupla parte de influência lunar, pois a Lua em Câncer está em sua própria casa zodiacal. A Astrologia considera isso uma influência bastante "maternal", e as emoções estarão bem sintonizadas com a proteção e o acolhimento dos demais. Essa Lua pode produzir mais lágrimas e mais emoções do que outras luas, e eu sempre recomendo manter um Diário Lunar para saber a temperatura emocional.

Essência Floral de Bach *Clematis*:

Alimentam esperanças de tempos melhores, quando seus ideais poderão ser realizados.

Lua em Leão

J.K. Rowling disse que o papel de Bellatrix seria importante no último filme, quando eu demonstrei alguma relutância em ter um papel discreto.
– Helena Bonham Carter

O tradicional amor do leonino pelos holofotes significa que as pessoas com a Lua em Leão tendem instintivamente a ficar no centro das atenções. Tapetes vermelhos, fãs, amigos e familiares que o adoram são sempre apreciados. É impossível usar superlativos em demasia ou agradecê-los em excesso.

Essas pessoas gostam de ficar sob o brilho cálido do reconhecimento por serem quem são, e é essencial que sejam respeitadas emocionalmente.

Essência Floral de Bach *Vervain*:

"Para aqueles que têm ideias e princípios rígidos que consideram certos".

Lua em Virgem

Minha ambição é melhorar como ator.
Ainda acho que há espaço para melhorar.
– Ian McKellen

Esta é uma Lua um pouco mais complicada para um geminiano, pois costuma ser considerada um tanto problemática por causa da ênfase virginiana na ordem e na harmonia, o que não deixa nossas emoções notoriamente incontroláveis muito à vontade. E como Virgem é um signo mutável e inconstante, isso significa que as emoções serão fluidas e de difícil definição. A necessidade de perfeição leva essas pessoas a distrações, tendo como meta contínua a vontade de que *tudo* seja perfeito.

Essência Floral de Bach *Centaury*:

"Sua natureza boa as conduz a fazer mais do que a sua parte do trabalho e, ao fazerem isso, negligenciam sua própria missão nessa vida".

♊ A lua ♊

Lua em Libra

Nosso movimento não é violento, e depende da fé na predileção humana por equanimidade e compaixão.

– Aung San Suu Kyi*

A energia de Libra enfatiza bastante a harmonia e o equilíbrio. Isso é bom para o indivíduo sozinho, e muitos consideram que quem tem a Lua em Libra possui uma refinada percepção estética, "gosto" ou instintos naturalmente bons. Um pouco mais difícil é a questão das relações com os outros. O medo de expressar emoções que possam propocionar situações constrangedoras significa que quem tem a Lua em Libra pode dizer uma coisa enquanto sente e faz outra, o que pode lhe acarretar acusações de ser indeciso.

Essência Floral de Bach *Scleranthus*:

Para aqueles que sofrem muito por serem incapazes de decidir entre duas coisas, inclinando-se ora para uma, ora para outra.

Lua em Escorpião

Você tem tanta coisa para compartilhar, você tem tanto a dizer, você tem tanta coisa que quer expor, tanta coisa que está em seu íntimo e que você aprendeu num período de sua vida... São pouquíssimas as pessoas com quem eu posso compartilhar isso.

– Priscilla Presley

---

* Política birmanesa que recebeu o Prêmio Nobel da Paz de 1991. (N. do T.)

♊ Como escutar um Geminiano ♊

A famosa associação entre Escorpião e profundezas sombrias significa que é lá que suas emoções serão encontradas, e isso pode fazer com que seja difícil aceitá-las. A palavra "profundo" é recorrente nas descrições astrológicas dessa combinação: anseios profundos, paixões profundas. Pense na cor sangue escuro e você terá uma ideia de como essa Lua se sente. Nada é superficial; tudo é profundo.

Essência Floral de Bach *Chicory*:

"Estão continuamente afirmando o que consideram errado, e o fazem com prazer".

Lua em Sagitário

*Estou estudando a Cabala, que, na verdade,
é a essência da espiritualidade judaica.*
– Sandra Bernhard

O geminiano com a Lua em Sagitário adora explorar a vastidão das profundezas da mente. Para ele, não basta apenas conhecer "as coisas"; ele deseja conhecer o *significado mais profundo* por trás das coisas. Quando está em situações de *estresse*, procura soluções espirituais. Os maiores "Por quê?" com a maior resposta "Porque". Ele também gosta de ler textos com temas espirituais, ou, no mínimo, de viajar para outros países e de bebericar coquetéis refrescantes em praias exóticas.

Essência Floral de Bach *Agrimony*:

"Escondem suas preocupações por trás de seu bom humor e de suas brincadeiras e tentam suportar seu fardo com alegria".

☊ A lua ☊

Essa essência aparece com o subtítulo "Sensibilidade excessiva a influências e opiniões".

Lua em Capricórnio

Eu era zangado e frustrado até formar minha própria família e meu primeiro filho nascer. Até então, eu não tinha apreciado a vida como deveria, mas felizmente eu despertei.

– Johnny Depp

De todos os signos lunares, Capricórnio deve ser o mais desafiador. Ele é regido pelo assustador Saturno, o ceifador sinistro e planeta dos golpes duros, e por isso sua constituição emocional é severa e autoflagelante. Como a Lua em Escorpião, esta Lua pode absorver mais negatividade do que outros signos, mas dá ao nativo o medo de sofrer. "Pare de se maltratar" seria um bom lema. Capricórnio gosta da dura realidade material do mundo, enquanto a Lua é a "criança interior", e pode não se sentir à vontade nesse ambiente estrito. Ele pode menosprezar suas emoções, considerando-as tolas ou triviais, e isso pode levar a um excesso de seriedade, mas isso é apenas um substituto para a necessidade real – a segurança da "emoção real", e não apenas de "sentimentos".

Essência Floral de Bach *Mimulus*:

"Para medo de coisas terrenas: doenças, dor, acidentes, pobreza, escuro, solidão, infortúnio. São os medos da vida diária. As pessoas que necessitam deste medicamento são aquelas que, silenciosa e secretamente, carregam consigo medos sobre os quais não falam a ninguém".

Lua em Aquário

Estou envolvida em uma marcha de protesto contra a perda dos últimos direitos minoritários das poucas estrelas presas à Terra.
– Marilyn Monroe

Conheço um bom número de pessoas com Lua em Aquário. Esse toque aquariano pode fazer com que se distanciem tanto de suas emoções que elas encontram dificuldades para expressar seus sentimentos. Pode ser difícil entenderem-se com as emoções, pois a energia aquariana é arejada e lhes dá a tendência natural a lidar com elas de forma abstrata. Do mesmo modo, é uma energia fixa, e as emoções são conhecidas por serem fluidas, difíceis de definir. O resultado é que é pouco provável que mantenham o coração à mão; elas aparentam frieza emocional.

Essência Floral de Bach *Water Violet*:

"Para aqueles que gostam de ficar sozinhos, são independentes, capazes e autoconfiantes. São indiferentes e seguem seu próprio caminho".

Lua em Peixes

A única coisa que pode salvar o mundo é a retomada de consciência do mundo. E é isso que faz a poesia.
– Allen Ginsberg

Se você tem envolvimento com uma pessoa de Gêmeos com a Lua em Peixes, respire fundo. Esta é uma alma particularmente sensível, e se essa pessoa for um menino, *por favor*, trate-o com gentileza. Certamente será criativo, musical, inspirado e talen-

A lua

toso, *mas* talvez não saiba o dia da semana, onde largou o relógio, a carteira, o dinheiro ou a passagem de ônibus. Peixes é o signo mais emotivo de todos e pode ter acesso a uma sensibilidade emocional aguçada, o que torna a vida complicada e dificulta as ações.

Esta essência se classifica no grupo "Para aqueles que têm medo" e ajuda essa alma frágil e gentil a ter coragem para enfrentar qualquer emergência, seja a morte de um animal de estimação, seja o início das aulas.

Essência Floral de Bach *Rock Rose*:

"Para casos em que parece não haver qualquer esperança ou quando a pessoa está muito assustada ou aterrorizada".

Capítulo 5

♊ As casas ♊

Até agora, aprendemos um pouco sobre o Sol e a Lua; vamos conhecer um pouco melhor o mapa astral que criamos no site www.astro.com.

Se você observar cuidadosamente o mapa que fizemos, verá os números de 1 a 12 aumentando no sentido anti-horário no interior do círculo. Os segmentos do mapa, que fazem com que ele se pareça um pouco com uma pizza, são chamados de "casas". Antes, eram chamados pelos astrólogos antigos de "mansões", pois alojavam a localização de um planeta.

Lembre-se, seu mapa astral é como um pequeno mapa do céu traçado no dia em que você nasceu e precisa "alojar" todos os planetas, não só o Sol e a Lua. Não vamos entrar na interpretação de todos os outros planetas; vamos apenas observar nosso mapa e descobrir a localização do Sol.

Nós sabemos, obviamente, que o Sol estava no *signo* de Gêmeos no dia em que seu parente/amigo/parceiro nasceu, mas o que vamos descobrir agora é em que parte específica do mapa está localizado o símbolo do Sol: ☉.

Se essa pessoa nasceu pela manhã, quando o Sol estava se levantando, o símbolo do Sol estará em algum lugar próximo do Ascendente ou do início do mapa. Se nasceu perto da hora do almoço, o Sol estaria alto no céu, nas casas 9 ou 10, acima do horizonte, na parte superior do mapa.

Se você imaginar que o centro do mapa é a Terra girando no espaço e que essa pessoa nasceu durante o dia, o símbolo do Sol estaria acima da Terra (literalmente)... Do mesmo modo, se a pessoa nasceu nas horas da escuridão, o símbolo do Sol estaria abaixo da Terra, nas "casas" de números 2 a 6.

Em nosso exemplo, Bob nasceu às 21h05; assim, se você observar seu mapa, verá que o Sol dele está na casa 6, abaixo do "horizonte".

No mapa que você montou, descubra em que casa está o Sol, e as interpretações apresentadas a seguir darão seu significado.

Ter o Sol na primeira casa dá uma "sensação" diferente daquela produzida por um Sol na oitava casa, e quando você conhecer um pouco melhor a Astrologia, vai descobrir muito mais sobre essa pessoa.

A Primeira Casa: Casa da Personalidade

Percebi que tinha tudo a ganhar e nada a perder.
– Gene Wilder

Esta localização ocorre quando a pessoa nasceu junto com a aurora, quando o Sol se levantava; por isso, terá habilidade para iniciar e criar projetos e ideias. A tendência é de que ela seja um pouco parecida com o primeiro signo do Zodíaco, Áries – mais enérgica, confiante e assertiva. É uma posição que trabalha com mais agilidade, realizando uma tarefa em menos tempo do que outras localizações do Sol.

A Segunda Casa: Casa do Dinheiro, de Bens Materiais e da Autoestima

O corpo da bailarina é simplesmente a manifestação luminosa da alma.
– Isadora Duncan

Esta é a casa que representa as coisas que possuímos. O mundo prático. A energia será despendida no acúmulo de bens ou na segurança financeira. A satisfação virá de se poder segurar, tocar, vivenciar de fato as coisas... Experiências táteis como massagens são sempre bem-vindas. Todos os sentidos precisam ser satisfeitos, e o alimento não é uma necessidade, pode ser uma alegria.

A Terceira Casa: Casa da Comunicação e de Viagens Curtas

Comecei a escrever na escola. Sempre estive entre os melhores alunos em redação, ensaios, literatura inglesa e coisas assim.
– Joan Collins

Como o terceiro *signo*, Gêmeos, a terceira casa deseja tratar com os outros por meio da comunicação. O nativo precisa de um celular, acesso a cartas, telefones, conversas e todas as formas de comunicação. A possibilidade de falar com alguém ou de escrever satisfaz esta casa. Como ela também governa viagens curtas, ter algum meio de transporte é bom.

♊ As casas ♊

A Quarta Casa: Casa do Lar, da Família e das Raízes

A família não é uma coisa importante, é tudo.
– Michael J. Fox

É aqui que o lar ganha importância. A "família", em todas as suas diversas combinações, será uma grande prioridade. Cozinhar, aconchegar-se com os outros, ter bichos de estimação, estar perto dos entes queridos e do mundo doméstico são pontos muito importantes. Crianças com essa colocação adoram estudar em casa, por isso, não importa o que façam, ponha a palavra "lar" do lado e você terá sucesso.

A Quinta Casa: Casa da Criatividade e do Romance

Estudei artes na época,
como milhares de pessoas.
– Ray Davies

A quinta casa ocupa-se com a capacidade de brilhar. Ser o centro das atenções é um bônus. Tapetes vermelhos, muitos elogios e reconhecimento mantêm feliz essa combinação. Criatividade, teatro, ter muitos filhos ou estar próximo de crianças, criar, atuar ou ser artístico são expressões do Sol nessa posição.

A Sexta Casa: Casa do Trabalho e da Saúde

Quando reprimo minhas emoções,
meu estômago não me deixa esquecer.
– Enoch Powell

A sexta casa tem seu foco em tudo que se relaciona com a saúde. Além disso, é o trabalho que fazemos. Nela, o Sol em Gêmeos vai querer se sentir bem, com saúde e organização. Não raras vezes, esses nativos trabalham na área de saúde e de cura, ou, no mínimo, preocupam-se com seus problemas de saúde e com os de outras pessoas. São habilidosos com tarefas detalhadas e intricadas.

A Sétima Casa: Casa dos Relacionamentos e do Casamento

Casei-me com o primeiro homem que beijei.
Quando digo isso a meus filhos, só falta passarem mal.
– Barbara Bush

Nesta posição, o Sol em Gêmeos vai desejar compartilhar sua vida com alguém significativo. Ser solteiro não resolve. Enquanto esse nativo não mantiver um relacionamento íntimo e pessoal, a vida parecerá fria. Quando estiver com "Alguém Especial", a vida terá novo significado. No momento em que ele encontra esse amor verdadeiro, a vida parece completa e ele pode espalhar amor e calor à sua volta.

A Oitava Casa: Casa da Força Vital no Nascimento, no Sexo, na Morte e na Vida Após a Morte

Eles reclamam das paixões sem se lembrar de que é com
sua chama que a filosofia acende sua tocha.
– Marquês de Sade

II As casas II

A intensidade da oitava casa com o Sol em Gêmeos produz uma pessoa de caráter forte e que não se desvia de sua missão de vida. O tédio não está no cardápio! A capacidade de se concentrar exclusivamente em uma coisa de cada vez pode trazer grandes resultados, e se você acrescentar a palavra "paixão" de vez em quando, esses nativos vão lhe agradecer muito.

A Nona Casa: Casa da Filosofia e das Viagens Longas

Tenha fé em seus próprios pensamentos.
– Brooke Shields

Se o Sol em Gêmeos na nona casa puder filosofar sobre o verdadeiro sentido da vida, tudo bem. Países distantes, viagens longas e um interesse por outras culturas serão expressos aqui. Mantenha o passaporte atualizado, esta é a posição do Sol que adora viajar. A espiritualidade nunca estará distante, em todas as suas formas, e esses nativos adoram sentir que o mundo está aí para ser explorado.

A Décima Casa: Casa da Identidade Social e da Carreira

O comportamento das pessoas faz sentido se você pensar nele em termos de suas metas, necessidades e motivações.
– Thomas Mann

É de se esperar que esta pessoa mantenha o foco em sua carreira e na forma como ele acha que os outros o veem. Obter o reconhecimento em seu campo de trabalho, por mais que isso demore, vai guiá-lo até o sucesso. É uma pessoa que trabalha muito e durante muitos anos para atingir o mais elevado nível possível na vida, sempre concentrada em sua carreira e na vida profissional.

A Décima Primeira Casa:
Casa da Vida Social e da Amizade

Quando você trabalha na TV, é um esforço
coletivo, não é apenas você.
– Kylie Minogue

Com o Sol em Gêmeos na 11ª casa, o indivíduo vai *desejar* – e não precisar de – amigos, grupos, organizações, filiações, sociedades das quais ele possa ser membro. Ele não se vê isolado do mundo, mas como parte dele. As amizades estão no alto da lista, bem como o trabalho com caridade e a união planetária. Sente-se melhor trabalhando ou morando com outras pessoas.

A Décima Segunda Casa: Casa da Espiritualidade

A visão do mundo, que estava entristecido e pedindo
ansiosamente ajuda e conhecimento, certamente afetou
minha mente e me fez compreender que esses estudos
psíquicos, a que me dediquei durante tanto tempo,
foram de imensa importância prática, não podendo ser
considerados um mero passatempo intelectual ou a
fascinante pesquisa para um romance.
– Sir Arthur Conan Doyle

♊ As casas ♊

Desperdiçamos um tempo inestimável em
sonhos nascidos da imaginação, alimentados pela
ilusão e mortos pela realidade.
– Judy Garland

Percebi que muitos de meus clientes com o Sol na 12ª casa não gostam muito de viver no "mundo real". Tudo lhes parece doloroso e insensível demais. A pessoa com o Sol na 12ª casa, como o signo de Peixes, quer se fundir com as fadas e os anjos e ir para a Terra do Nunca ou, no mínimo, ficar dormindo e sonhando durante o maior tempo possível. Ela se sente melhor quando tem um lugar para o qual possa fugir emocionalmente, seja a praia, uma colina ou um bom banho morno de banheira de vez em quando. Também tem fascínio pelo ocultismo ou por outras formas de espiritualidade.

Capítulo 6

♊ Os problemas ♊

Quando a Lua de uma pessoa sofre pressão (quando ela passa por uma fase de pressão emocional), coisas desagradáveis de todo tipo podem acontecer.

Às vezes, meus e-mails são de pessoas Índigo que estão insatisfeitas, ora por causa do trabalho, ora por causa da escola ou de relacionamentos que provocam algum problema. Vou lhe apresentar um breve exemplo daquilo que acontece em termos astrológicos.

Este e-mail é de Billy, que mora na Califórnia, nos Estados Unidos. Como a maioria das pessoas Índigo, ele precisa de uma "validação" e que eu confirme que ele é um Índigo.

Ele é geminiano com Ascendente Leão e Lua em Aquário.

Eu lhe perguntei o que, *exatamente*, ele queria saber.

"A verdade, mas de certo modo eu já sei a verdade. Vem alguma coisa por aí e muitos serão perdidos, mas aqueles que estão na luz vão enfrentar a grave oposição daqueles que se escondem nas trevas. Eles nunca serão realmente livres, e estarão sujeitos à repetição da história. Lembre-se de que aqueles que se ocultam nas sombras já estiveram sobre a luz".

♊ Os problemas ♊

Deveríamos ter promovido o desarmamento e aprendido o caminho da luz quando este nos foi oferecido, mas em vez disso sacrificamos nosso povo em nome de uma tecnologia estrangeira, movidos por más intenções. Tenho canalizado Zadkiel* sem ter aprendido a canalizar. De várias formas, ele sente que faz parte de mim, pois eu também tenho a tendência permanente a deter a mão.

Vago, sei que isso pode ser, mas obviamente é você que eu deveria encontrar. Há apenas outros doze como eu, pois em meu sonho minha alma cruzou o portal e me disseram que sou o sétimo dos treze.

Tenho propensão para a tecnologia e meus vídeos pararam de funcionar no meu telefone; tentei consertar isso de todas as maneiras e nada funciona. Assim, comecei a fazer o download de vídeos e finalmente vi o seu rosto".

Antes de tudo, precisamos levar em conta o Ascendente, que, neste caso, está em Leão. Não ignorei o e-mail dele, embora muitos autores o façam. De modo geral, a menos que você esteja acostumado a ver gente abrindo o coração em e-mails, isso pode ser perturbador para quem os recebe; apesar de já estar acostumada, ainda assim é desconfortável. Não se esqueça de que sou mãe, e para mim é triste ver um rapaz ou uma moça em conflito com sua espiritualidade.

Perceba os vários componentes de seu mapa. Vou mostrá-los.

A parte geminiana é a velocidade com que chegaram seus e-mails. Este é seu e-mail de acompanhamento, mas o primeiro foi enviado alguns segundos depois que ele descobriu o meu endereço de e-mail. Dois segundos, para ser precisa. Gêmeos

---
* Zadkiel é o arcanjo da liberdade, da benevolência, da misericórdia e o Anjo Patrono de todos os que perdoam.

quer um "contato" ágil. Se você lhe enviar uma mensagem de texto ou um e-mail, geralmente ele responde em quinze minutos ou menos, desde que o assunto seja *interessante*.

Sua preocupação é descobrir "a verdade", mas, como a verdade de cada um é subjetiva, não posso ajudá-lo nesse ponto...

Seu Sol está na 11ª casa, e por isso grupos e companhia são importantes; ter algum tipo de propósito altruísta também o motiva. Sua Lua está em Aquário, portanto ele desfruta da tecnologia, coisa que interessa a Aquário.

Perceba como ele se refere a "nós" e não usa o "eu"... Sua preocupação é com o grupo e não com o indivíduo; essa também é uma característica aquariana.

Ele acredita que faz parte de um *grupo especial* de treze pessoas (o grupo de novo), mas penso que isso é o Ascendente em Leão falando, como quem diz "sou especial".

Depois de alguns e-mails reconfortantes dizendo-lhe para não se preocupar e para encontrar alguém que possa ajudá-lo pessoalmente, nunca mais tive notícias dele.

Meu Geminiano Quer Mudar de Casa, de Cidade/Emprego, Trocar o Carro, Reformar a Cozinha/o Banheiro de Novo!

Creio que isto seja parte e o ônus de estar com um geminiano – MUDANÇA. Você terá de aprender a conviver com ela, ou não "estará" com seu geminiano. Para eles, mudar é como respirar. Talvez ele não seja tão volúvel quanto poderia ser e, se tiver algum planeta em Touro, as mudanças podem não ser tantas, ou podem ocorrer mais espaçadamente.

Tente descobrir POR QUE seu geminiano quer mudar alguma coisa. Geralmente, é porque ele ficou entediado, o que não é uma boa situação para um geminiano (veja a seguir).

Se você não quiser mudar de casa ou de cidade, pelo menos, deixe-o fazer algumas mudanças *na casa*. Uma boa frase para definir geminianos seria "A mudança é tão boa quanto o repouso!".

Ele pode, por exemplo, pintar um cômodo com uma cor diferente. Se ele deseja mudar de emprego, é melhor deixar, pois não há nada pior do que trabalhar num emprego de que você não gosta. Pode ser torturante para um signo de Ar, pois as ideias e os pensamentos são importantes, e, se ele ficar sufocado por causa das pressões no trabalho, vai adoecer.

Trocar de carro ou mudar as coisas de lugar na casa não são grandes problemas. Se vocês mantêm finanças separadas, não pode nem dizer como ele deve gastar o dinheiro. Se o carro dele tem algum problema, ele tanto pode comprar um carro novo quanto consertar o velho. As áreas comuns da casa só vão precisar de alguma alteração se ficarem antiquadas ou cansativas, mas não permita que ele mexa em suas áreas da casa, como seu escritório, se você não quiser. Desde que você explique seus motivos, 99% dos geminianos não se incomodam com as suas escolhas.

Meu Geminiano Disse que Estou Ficando Entediante

Existe uma diferença sutil entre acusar você de "ser entediante" e ele "estar entediado". Converse e descubra qual é o caso. Se ele está acusando você de ser entediante, pergunte-lhe o que ele acha entediante. O que você precisaria "fazer" ou dizer para não ser entediante? Se, o que provavelmente é o caso, ele mesmo está se sentindo entediado, obviamente precisa de um desafio para se sentir completo. É aí que entra essa história de mudança de casa ou de emprego. Enquanto ele se ocupa com essas mudanças, seu cérebro se ativa com coisas diferentes. Um dos piores cenários para um geminiano é comer sempre a mesma comida, ver as mesmas pessoas, seguir o mesmo caminho de casa até o trabalho; qualquer coisa que se torna uma "mesmice" abafa sua força vital.

Meu Geminiano Não Consegue se Decidir sobre Mim/Isto/Aquilo

Bem-vindos ao Verdadeiro Território Geminiano!

Tanto os dois signos de corpo duplo (o outro é Peixes) quanto Libra têm dificuldade para tomar decisões. No caso dos geminianos, isso costuma acontecer quando eles pensam demais.

Você pode fazer os geminianos jurarem que sua cor predileta é azul... e, três semanas depois, ele compra uma gravata vermelha ou ela compra um vestido rosa e você fica se perguntando por que aquele discurso todo... Num minuto, ele diz que quer mudar de emprego, e cinco minutos depois ele afirma que gosta muito do chefe. A maioria dos signos de Ar tende a "pensar alto", e as discussões sobre "as coisas" são um modo de filtrar suas melhores opções.

Talvez ele nem pense nessas coisas, mas, se você levar em conta quanto ele pensa, o fato de ter mudado de ideia ou de não ter conseguido se decidir sobre alguma coisa é apenas um aspecto de sua personalidade.

Os problemas

Na verdade, não importa se ele se decidiu ou não, pois, como sabemos, as ações falam mais alto do que as palavras. Minha tia passava horas dizendo quantos quilos ia perder ou quantos tinha perdido, ou o tamanho de roupas que usava... e ninguém se entediava. Ela era do jeito dela, mas, de certo modo, compartilhava esse jeito conosco, pois acima de tudo definia o que podia ou não fazer. Nunca fazia qualquer tipo de dieta e nem se exercitava, sequer comia menos – como ia reduzir o peso, ninguém sabe dizer!

É aqui que escrever pode ajudar bastante. E o geminiano NÃO deve escrever usando o computador. Isso não funciona tão bem. Se ele precisar tomar alguma decisão, sugira-lhe que anote as opções no papel. Os pontos positivos e negativos. ENTÃO, ele vai perceber sozinho aquilo de que precisa para decidir, e todos ficarão felizes.

Capítulo 7

♊ As soluções ♊

Agora que você aprendeu um pouco de Astrologia, a montar um mapa e a compreendê-lo, será plenamente capaz de identificar um geminiano a cinquenta passos de distância. Neste capítulo, vamos aprender a ajudar os geminianos quando eles se encontram numa posição negativa, quando estão enfrentando algum "problema" ou perderam o pique.

Se o seu geminiano adentrar esse Espaço Ruim, você vai precisar adequar sua ajuda considerando o signo lunar ou o Ascendente dele.

Quando as pessoas tentam enfrentar mudanças inesperadas ou algum dilema, geralmente reagem melhor a um tratamento que é específico para seu sofrimento. Esta é a base de todas as prescrições homeopáticas.

Ser individual.

E vai ajudar imensamente o seu geminiano *se você ouvi-lo!*

Quanto a escutar, eis o que diz Lauren sobre aquilo que a ajuda:

"Como geminiana, considero-me muito boa em comunicação. Posso falar e posso escutar, e gosto de fazer as duas coisas.

As soluções

Na maior parte do tempo, porém, percebo que raramente os outros me escutam direito. Sabe? Escutar mesmo, não apenas me ouvir. Como tenho habilidade para conversas triviais, discussões sobre assuntos específicos e conversas intensas (contanto que não sejam muito entediantes), eu presumo que todos também tenham. Mas não é assim. Quando falo, é porque tenho alguma coisa importante a dizer; importante para mim. Espero que os outros respeitem isso; escutem, compreendam e conversem comigo sobre o assunto, provando que me escutaram".

Uma coisa é ouvir, manter os ouvidos abertos, o iPod desligado, ficar de frente para a pessoa que está falando e não falar ao mesmo tempo. Outra coisa é escutar *de verdade*, e é isso que você terá de fazer se o geminiano estiver com dificuldades.

A verdadeira habilidade ao escutar é mais ou menos assim:

Você precisa mostrar para o geminiano que compreendeu aquilo que ele disse. Logo, se o seu amigo geminiano lhe disser que Mary saiu de casa (de novo) e ele está se sentindo triste e aborrecido, você terá de lhe perguntar algo como:

"Por que o fato de Mary ter saído de casa o aborrece tanto?"

Você refletiu sobre o problema e agora está procurando um motivo específico para o aborrecimento. Será que é porque ela disse que não vai mais voltar? (Ela disse isso da última vez.) Ou porque ela levou o carro *e* as chaves do escritório? Ou será alguma outra coisa?

Pode ser o fato de ela ter levado também uma mala com roupas, coisa que nunca fez antes, bem como o quadro predileto dela, que estava na sala.

Ela ter levado o quadro da sala é o que mais aborreceu o geminiano, pois pertenceu à avó dele, que o deu de presente para o casal, não apenas para ela. Portanto há um pouco de raiva misturada com o choque e com a tristeza.

Antes de continuar, dê a seu geminiano um pouco de seu remédio lunar. No mínimo, um remédio floral *Rescue* e/ou o remédio homeopático *Ignatia*. Este trata o trauma emocional.

Até aqui, foi fácil, mas o que mais você pode "fazer" para ajudar se o geminiano perdeu o emprego, se sua esposa o abandonou ou se um parente ou amigo morreu?

Use uma das sugestões a seguir que corresponda ao mapa astral do geminiano.

Se o seu cérebro não está funcionando, o melhor que você pode fazer é escutar por um bom tempo e depois sugerir uma mudança completa de cenário. Os geminianos não conseguem sofrer por muito tempo; isso é coisa dos signos de Água – Câncer, Escorpião e Peixes.

Ascendente ou Lua em Áries

Só existe um meio de ajudar esta combinação – fazer alguma atividade física e/ou esportiva. Pegue seus tênis de corrida ou a sacola de esportes, encontre-se com o geminiano e leve-o para despejar seus sentimentos na quadra de tênis ou de basquete, no campo de futebol ou em algum lugar onde se possa agitar o corpo. Se quiser que ele se sinta melhor, não se preocupe em conversar; a solução necessária é AÇÃO. Evite atividades que ponham vocês em risco. Portanto nem pense numa sessão de esgrima ou de boxe; você corre o risco de ser alvo de sentimentos estressantes!

Ascendente ou Lua em Touro

As energias da combinação Gêmeos/Touro visam a dar a sensação de segurança e conforto. Marque um encontro e leve o Gêmeos/Touro para uma bela refeição de primeira num restaurante bem conceituado, ou, no mínimo, cozinhe para ele. Tire o pé do acelerador e acompanhe sua linguagem corporal. Ofereça chocolates e bons vinhos, deixe-o bem relaxado. Se você sabe fazer massagens, será a salvação dele; se não, contrate alguém que consiga dispersar essas energias angustiantes com óleos perfumados e movimentos repousantes. O corpo precisa ser bem tratado, e por isso é necessário que o geminiano respire profundamente e receba contato tátil. A mente pode ser tratada mais tarde.

Ascendente ou Lua em Gêmeos

Neste caso, você terá de ficar atento, com as orelhas em pé. Preste atenção em cada palavra que ele disser. Um geminiano duplo quer se sentir ouvido e compreendido. Se você fizer um resumo daquilo que ele lhe disse, estará pisando em terreno sólido. Talvez você consiga fazer com que ele escreva como está se sentindo, pois ele estará tão acelerado fazendo perguntas, comentários, concordando, reclamando, que você pode se perder no meio do processo. Depois que ele tiver escrito o máximo que puder, mude de assunto e faça alguma coisa completamente diferente, como sair para caminhar ou encontrar-se com outros amigos.

Ascendente ou Lua em Câncer

Pessoas com a combinação Gêmeos/Câncer vão querer *sentir* suas emoções. Na verdade, as emoções as dominam, o que as torna um pouco chorosas. Tire os lenços do armário e copie sua linguagem corporal; depois que ela chorar um mar de lágrimas, envolva-a num cobertor macio e aconchegante e acomode-a no sofá. Escute suas palavras com atenção e tente perceber o que há por trás do que ela está dizendo; sintonize-se com seus sentimentos, que, nesse momento, serão como uma onda, avassaladora e úmida. Em pouco tempo, a onda vai se retrair e ela vai voltar ao normal. Abraços! Já falei dos abraços? Eles serão necessários, e em abundância, quando a pessoa de Gêmeos/Câncer ficar triste; portanto acolha-a e abrace-a até a dor sumir.

Ascendente ou Lua em Leão

NÃO ignore um Gêmeos/Leão. Esses nativos querem reconhecimento e inclusão. Eles correm de um lado para o outro, suspirando, fazendo drama e gritando "Cortem suas cabeças!" ou coisas similarmente dramáticas. Ignore o drama, mas não ignore a pessoa. Você poderia perguntar "Como posso ajudá-lo agora?" e fazer o que ele sugerir, desde que seja legal e viável. Concorde quando ele disser que a vida é injusta e estenda o tapete vermelho com o tratamento especial e personalizado. Repita o nome dele mais de uma vez, num tom amigável. Isso sempre funciona bem, e assinta com a cabeça ao concordar com seus sentimentos, que certamente estarão aflorando numa velocidade alarmante. Faça com que ele respire bem fundo... e solte lentamente, para que seu lado alegre volte em pouco tempo.

Ascendente ou Lua em Virgem

No caso de pessoas com a combinação Gêmeos/Virgem, você vai precisar manter a calma e ter equilíbrio. Lembre-se da essência floral *Centaury* e sirva duas gotas com água antes de tentar qualquer outra forma de ajuda. Pessoas com esta combinação precisam desligar o cérebro durante algum tempo. Os geminianos têm cérebro ativo e rápido; acrescente a isso a necessidade de precisão de Virgem e tudo que eles vão conseguir pensar é como *"fazer as coisas perfeitas"*, almejando "fazer" milhões de coisas a respeito. No pior cenário, eles vão parecer coelhos iluminados pelos faróis do carro, congelados numa ideia recorrente da qual eles terão dificuldade para se livrar. Música relaxante, *tai chi chuan*, exercícios físicos suaves, alimentos confortantes e muito sono vão trazê-los perfeitamente de volta à Terra.

Ascendente ou Lua em Libra

A maioria das combinações Gêmeos/Libra preocupa-se com relacionamentos... ou com "o" relacionamento. Se ele se afastou da pessoa próxima e querida, você vai encontrar alguém emotivo, inquisitivo, que precisa ser tratado com cuidado. Antes de tudo, não lhe dê opções. Esta é, afinal, a pessoa que estará fazendo a escolha. Vir ou ir? Ficar ou sair? Certo ou errado? Ajude no processo sem lhe dar escolhas e leve-o para um lugar bonito e apresentável, onde ele possa equilibrar melhor as ideias. Não o corrija e nem entre em discussões, não fale demais, deixe que o lugar que você escolheu o acalme o suficiente para que possa se reconfigurar e se sentir equilibrado. *Yoga*, massagem relaxante, música leve e melodiosa, como uma harpa celta ou algo igualmente repousante também podem ajudar.

Ascendente ou Lua em Escorpião

Afaste-se! Não fique perto demais quando alguém de Gêmeos/Escorpião estiver se desintegrando. Esse nativo estará consumido pela paixão de sentimentos profundos, penosos, dolorosos... e a vingança pode estar nos planos. Saiba que ele vai querer resolver a questão com soluções drásticas, dolorosas. Se você pensar na cor de sangue escuro, terá uma noção de como está se sentindo. É péssimo! É horrível! Ele quer por um FIM nisso tudo (o que quer que esteja acontecendo com ele).

Faça com que ele escreva uma carta para a pessoa ou para o problema. Diga-lhe para incluir TODOS os seus sentimentos no texto... Depois, faça uma fogueira ou acenda uma vela, e observe em segurança a dor e a angústia sendo consumidas pelas chamas. Seja firme. Esteja "presente". Você não pode fazer muita coisa além de esperar que os sentimentos se abrandem – como acaba acontecendo.

Ascendente ou Lua em Sagitário

É difícil fazer com que um Gêmeos/Sagitário admita que tem um problema. Geralmente, outra pessoa é que tem um problema, e ela terá de ser o foco da solução. Consiga alguns textos antigos. A Bíblia ou outros textos espirituais positivos. O guru ou lama predileto, outro líder espiritual, e pegue emprestado ou compre o livro para ele. Programe uma viagem para uma terra distante e exótica, na qual ele possa "escapar" do cotidiano que causou o problema. Se as finanças estiverem apertadas, leve-o para um restaurante local de comida exótica ou converse sobre lugares distantes, diferentes. Ele precisa estar rodeado de pessoas e por conversas diferentes, para que se sinta à vontade para ter os pensamentos, os sentimentos e as opiniões que tem tido. Se ele gosta de esportes, leve-o para assistir um jogo, qualquer coisa que seja diferente daquilo que ele está fazendo no momento. Mudanças, mudanças exóticas são o máximo.

Ascendente ou Lua em Capricórnio

Como Capricórnio é regido por Saturno e adora soluções sérias e sensatas, um Gêmeos/Capricórnio vai querer o conselho e a orientação de alguém mais velho e, espera-se, mais sábio do que ele. A principal preocupação será com "o futuro", e ele pode achar que arruinou suas chances ou perdeu uma boa oportunidade. Se você puder encontrar alguém que "já esteve lá", ele vai começar a se acalmar. Naturalmente, você pode fazer ainda melhor e ajudá-lo a pesquisar sua árvore genealógica, pois Capricórnio/Gêmeos adora aquilo que é antigo, testado e aprovado. Uma breve visita a uma casa senhorial ou a ida a um concerto tradicional também podem ajudar... e NÃO tente apressar a recuperação. Ele precisa de tempo e de espaço.

Ascendente ou Lua em Aquário

Se você puder imaginar a solução mais estranha e inusitada para o problema, terá encontrado o elixir da felicidade. Gêmeos/Aquário gosta de tudo aquilo que podemos definir como "incomum". Fique longe das ideias convencionais, procure o que é diferente e sem regras, e terá o mais feliz dos nativos Gêmeos/Aquário do planeta. Fiquem acordados até tarde discutindo a Vida, o Universo, e tudo irá bem. Você pode levá-lo para ver artistas de rua, para conhecer estudantes de arte ou pessoas criando um evento ecológico. Você pode ligá-lo a um simulador para que ele possa ter uma experiência maluca ou jogar um jogo no computador sem regras padronizadas. Tudo que não for normal, regular ou baseado na Terra. Ele quer se sentir ligado a alguma consciência humana que mude a vida das pessoas.

Ascendente ou Lua em Peixes

Pegue o Tarô dos Anjos, acenda um incenso ou algumas velas. Ponha música suave, afaste-se da "vida" e dos "humanos" e entre em contato com a vastidão exterior de tudo aquilo que é cósmico e divino. Qualquer forma de adivinhação será bem-vinda. Ele estará preocupado com sua próxima vida e seu *karma*; assegure-lhe de que isso está bem resolvido. A solução espiritual precisa ser crível e não deve ser fantástica demais, ou você o perderá para o racionalismo geminiano. Mantenha os pés dele no chão, mas permita que sua mente vagueie por lugares onde nada machuca e ninguém o interrompe. Meditação, hipnoterapia, relaxamento, anjos, fadas, círculos de pedra, uma peregrinação – todas essas soluções são boas, e, no mínimo, um longo banho perfumado com uma grande placa "Não Perturbe" na porta!

Capítulo 8

♊ Táticas para escutar ♊

Agora que você aprendeu um pouco sobre a astrologia de um geminiano, a montar e compreender um mapa, vamos falar das variações da natureza geminiana. Quando se expressa "como uma criança"; a energia de Gêmeos é levemente diferente de quando se manifesta "como um chefe"; assim, eis os diversos cenários que você pode encontrar.

Seus Filhos de Gêmeos

Se você tem filhos geminianos, não vai demorar a perceber que terá de responder, assim que aprenderem a falar, à eterna pergunta: "Por quê?".

Isso vai acontecer todos os dias, em todos os momentos em que estiverem acordados.

Desde o momento em que você serve o cereal de manhã: *"Por que os cereais estalam quando você põe o leite?"*.

... e quando você põe a roupa neles para irem brincar: *"Por que tem zíper com dois trecos e zíper com um treco só?"*.

... e quando estão almoçando: *"Por que preciso comer essas verduras?"*.

... e na hora do lanche: *"Por que a bebida quente machuca a boca?".*

... até a hora de dormir, quando perguntam: *"Por que a Cinderela brigou com as irmãs? Eu gosto da minha irmã...".*

Se conseguir responder a essas perguntas, eles encontrarão outras para substituí-las, como Kotryna nos mostra:

> *"Minha mãe dizia que eu fazia perguntas tão depressa que ela nem tinha tempo para responder a uma delas e eu já fazia outra... E depois voltava à primeira, porque não tinha ouvido a resposta".*

Portanto, desde cedo, você vai descobrir que é mais fácil dar-lhes bons livros, enciclopédias ou um laptop para que possam pesquisar pessoalmente as respostas no Google.

E Kotryna resume muito bem a questão:

> *"O melhor presente que recebi de meus pais quando era pequena foi a* Children's Illustrated Encyclopedia *[Enciclopédia Ilustrada Infantil]. Eu comecei a lê-la desde a página 1 como se fosse um livro normal, e deixei meus pais em paz durante algum tempo. É o melhor presente que você pode dar para uma criança de Gêmeos. (Ou, então, mostre-lhe como pesquisar no Google... Se bem que um livro de verdade ainda é melhor.)"*

E não adiante dizer coisas como *"Porque sim"* ou *"Porque mamãe (ou papai) disse que é assim"*, pois isso só os fará prosseguir com o *"Por quê?"* até você se cansar tanto que vai preferir ficar no meio da plateia de um concerto de rock, com a música tocando bem alto para abafar aquela vozinha interior dizendo *"Por quê?".*

II Táticas para escutar II

Eles estão *mesmo* interessados, e impedi-los de perguntar "*por quê?*" seria o mesmo que dizer que o aquariano não pode ter amigos, ou que o leonino não pode dançar, ou que o taurino não pode jantar (!), ou que o escorpiano precisa revelar um segredo.

Não é por aí.

Suas pequenas vidas dependem da possibilidade de perguntarem *por quê*. Depois de algum tempo, eles vão compreender as respostas que receberem e vão deduzir como podem descobrir sozinhos, seja lendo, seja perguntando para *outras* pessoas, e você deixará de ser a "fonte de todo o conhecimento"... nesse momento, talvez você se arrependa por ter deixado isso acontecer tão rapidamente. Você pode até sentir falta das perguntas.

Uma coisa que você terá de aprender é ouvir. A impressão que pode dar é que todas aquelas perguntas significam apenas que eles querem ouvir o que você tem a dizer; do mesmo modo, porém, por trás dessa bateria de indagações há uma pequena pessoa que quer se conectar, e seu modo de se conectar é a voz.

Kotryna disse como é ter uma mãe que nunca a escutava quando ela era pequena. Sua mãe é de Touro, prática demais para "perder tempo" conversando:

"Ela nunca me escutava. Fingia que estava ouvindo enquanto fazia outra coisa, mas se eu pedisse sua opinião ou que repetisse o que eu tinha dito, ficava claro que ela não havia escutado uma só palavra. Quando eu a questionava sobre isso, já mais velha, ela dizia que eu falava tanto que era impossível prestar atenção, de modo que minhas palavras acabavam virando ruído de fundo. Mas eu preferiria que ela me dissesse 'Estou ocupada agora, não quer me contar isso

depois?' do que ser ruído de fundo. Não falamos pelo prazer de falar, precisamos que alguém nos escute. Agora, pensando nisso, vejo que é o que estou sempre procurando na vida, nas amizades – alguém que me escute de verdade. E eu sei ouvir também, não é uma via de mão única".

Queenie também tem algo a dizer sobre filhos geminianos; como ela também é geminiana, esta mais do que qualificada para dar sugestões:

"Com relação ao modo como devem ser criados filhos de Gêmeos, conversar com seus filhos e ESCUTÁ-LOS estão no topo da lista. Não os ignore; nós precisamos de comunicação. Ser visto e não ser ouvido é algo que não funciona conosco. Faça com que seus filhos geminianos sintam que o que eles têm a dizer é importante, e não tente distraí-los para que fiquem quietos. Eles querem ser ouvidos.

Eles são intensamente curiosos e desejam experimentar diversas atividades e passatempos diferentes, mas os pais devem saber que eles não ficam muito tempo numa única coisa. Gostamos de provar e experimentar, gostamos de fazer coisas com as mãos. Como progenitor, não desestimule essas mudanças de interesses, não lhes diga que não podem explorar alguma coisa porque "você nunca termina nada". Temos grande necessidade de experimentar, só que não nos aprofundamos. Nós nos entediamos com facilidade e temos problemas se não conseguimos encontrar rapidamente alguma coisa para nos ocuparmos. Felizmente, ficamos entretidos sem muita dificuldade.

Também temos a tendência a gostar de várias coisas ao mesmo tempo.

II Táticas para escutar II

Pessoalmente, funciono melhor com ruído de fundo – não gosto do silêncio absoluto. Talvez seu filho goste de ouvir música enquanto lê ou faz lições de casa. Talvez não seja possível para ele concentrar-se numa coisa só de cada vez. Nossa mente tem grande tendência a divagar.

Faça com que tenham empatia e consideração pelos sentimentos alheios. Uma das características dos geminianos é que não nos preocupamos muito com o que nos cerca.

Não sou muito sentimental e nem me magoo facilmente, e meu senso de humor é meio agressivo. Nem sempre eu me lembro de que os sentimentos das pessoas se ferem com mais facilidade do que os meus, e que os outros não relevam as coisas com a mesma tranquilidade. A sensibilidade não é meu forte.

Não deixe que eles adiem as coisas ou evitem situações difíceis; temos a tendência a não querer lidar com coisas dolorosas ou profundas".

Ninguém gosta de fazer coisas que magoam, mas algumas pessoas desfrutam de suas emoções e "vão fundo"; por isso, dê a seus filhos geminianos alguma experiência nessa área. Sugiro um ótimo livro, escrito por Marshall Rosenberg, um cavalheiro libriano, chamado *Nonviolent Communication* [Comunicação não violenta].

Como foi escrito por alguém de Libra, um signo de Ar com o qual os geminianos se entendem bem, você verá que suas sugestões sobre como verbalizar emoções difíceis sem recorrer à violência são muito convincentes.

♊ Como escutar um Geminiano ♊

Seu Chefe Geminiano

Tive um chefe de Gêmeos. Ele falava manso e usava tanto a palavra "apaixonado" que quase me convenci de que ele era apaixonado por seu trabalho.

Não era.

Era a palavra do momento para ele... e soava bem, por isso ele a usava.

Ele era extremamente versátil. A empresa vendia brinquedos para adultos. Coisas como "Stomp Rocket", ioiôs e skates. No começo, a empresa vendia pipas, e meu chefe ampliou a linha de mercadorias. Ele gostava de conversar com possíveis fornecedores e ficava todo agitado quando lançavam os novos produtos.

Ele ia de um lado para o outro no escritório e nunca parava mais do que meia hora no mesmo lugar, e gostava de entrar em discussões acaloradas (que ele chamava de reuniões) com seu sócio na empresa (o Sr. Sagitário) sobre preços, cores, embalagens e contratos com fornecedores.

Era divertido trabalhar com ele, mas ele era um eterno garotão. Obviamente, nunca quis crescer, e seu negócio alimentava seus desejos de infância.

Tive outro chefe geminiano, uma mulher. Ela era assistente da gerência de uma loja em que trabalhei. Era amigável e gostava muito de sair, a ponto de ir a uma festa na minha casa sem me conhecer direito. Adorava companhia, comentava as últimas notícias e parecia que nunca ficava sem ter o que dizer. Era fácil trabalhar com ela. Ela não exigia nada, exceto que eu conhecesse muito bem o nosso estoque.

Seu chefe geminiano não vai criticá-lo por atrasos, brincadeiras de escritório ou conversas durante reuniões; mas vai implicar se você não souber o que está acontecendo, não puder dizer como anda o estoque, as margens de lucros ou o que seus principais concorrentes andam fazendo. Você vai ganhar pontos se conhecer bons restaurantes, os bons filmes que viu no cinema, se tiver um "conhecido" que sabe resolver problemas e fazer "coisas". Se você conhecer um contador que pode ajustar os números, melhor ainda! Não estou sugerindo nada ilegal – alguém que saiba o melhor modo de pagar menos impostos será recebido de braços abertos.

Se você rir de suas piadas, sair de vez em quando para uma cerveja após o expediente, flertar com fornecedores ou concorrentes, será ainda mais valorizado. Seus talentos precisam refletir os atributos geminianos, mas você não deve se tornar um gêmeo dele; não demoraria até ele perceber a adulação, deixando você de fora na próxima leva de promoções.

Seu chefe geminiano também vai gostar de qualquer coisa que leve a expressão "novo" e vai ficar radiante se alguma ideia "nova" que você apresentar der certo; por isso, trate seu emprego como um lugar para exercitar sua mente.

Sua namorada geminiana

Por um lado, sua namorada geminiana vai querer que o relacionamento avance rapidamente; por outro, ela pode parecer satisfeita flertando e falando sobre o relacionamento, sem estar efetivamente envolvida.

Eis o que diz Lauren, consultora num banco:

"Quando eu era jovem, o flerte era um modo de vida. Não era algo que se aprendia ou que nos ensinavam. Vinha naturalmente. Como

minha inteligência era média, minha educação era média e minha aparência também, o flerte me dava a vantagem de que precisava para interagir com o sexo oposto. Isso também acobertava o fato de ser tímida e insegura. Durante meu primeiro casamento, e até o segundo, usei o flerte como uma ferramenta de comunicação, interação, influência e atração. Quando conheci meu segundo marido, parei de flertar com outros homens. Não precisei mais disso. No entanto, faço questão de flertar com meu marido pelo menos uma vez por dia".

Você também precisa conduzir o relacionamento. Obviamente, se ela não gostar de alguma coisa que você estiver fazendo, ela vai lhe dizer, mas a mulher geminiana prefere ser conduzida a conduzir. Você também terá de manter diversos itens na sua lista "a fazer". Não adianta levá-la sempre ao mesmo restaurante. Ela gosta de ir ao cinema, ao teatro, a concertos ou a shows, qualquer lugar onde a "vista" seja diferente. Ela gosta de riso e de divertimentos amenos de qualquer espécie. Ela vai ficar feliz até assistindo a um filme em casa, desde que – repito – seja interessante.

Eis o que uma jovem chamada Amelia, de Londres, procura num namorado:

Sobre mim
Excêntrica, um pouco estranha, atenciosa, adoro rir. E ganho de você no jogo Dr. Robotnik's Mean Bean Machine *de olhos fechados. Experimente se tiver coragem!*

O que procuro
Se você gosta de jogos antigos, de uma conversa aleatória envolvendo citações do filme original O Vingador do Futuro *ou de*

qualquer filme do Arnie, acho que nos daremos às mil maravilhas. E também se você se diverte com coisas diferentes e sabe rir em qualquer situação.
Status de relacionamento
Solteira
Relacionamento que procura
Vamos ver o que acontece; relacionamento de longo prazo; relacionamento de curto prazo
Tem filhos?
Não
Quer ter filhos?
Talvez

Como se pode ver nesta pequena citação, ela quer se divertir. Ela não vai querer dar todas as sugestões o tempo todo, e uma coisa que você terá de aceitar desde o começo é que se ela "dá uma dica" é para valer. Ela *talvez* queira se casar e *talvez* queira ter filhos, mas com certeza vai querer se divertir e ter "conversas aleatórias".

Seu Namorado Geminiano

O mesmo se aplica aos homens de Gêmeos. Mudar de cenário, manter tudo em movimento, não ficar parado por muito tempo.

Você vai precisar de algum meio de transporte, pois "usar o coletivo" não o atrai. Não é preciso ir muito longe, alguns quilômetros de carro já resolvem.

Eis o que diz Tom, um jovem londrino procurando um amor:

♊ Como escutar um Geminiano ♊

"Hummm, bem, eu acabei de pedir a um 'amigo' para me descrever e ele pegou a garrafa de vinho e o Nurofen e saiu correndo.

As pessoas dizem que sou engraçado, mas não sei se é 'haha' ou 'estranho'.

Tem quem diga que estou bem (mamãe), alguns dizem que sou feio (amigos), e por isso creio que sou bem feio.

Sempre quis usar barba, mas coça muito. Um dia eu uso.

Canto apenas Johnny Cash no chuveiro, mas em outros lugares, qualquer coisa composta por qualquer um.

Gosto de cães feiosos, de aparência estranha, mas não arrumei um... (ainda).

Gatos não são para mim.

Adoro conversar com velhinhas.

Depois que bebo, minto dizendo que danço bem.

Faz séculos que não como um Curly Wurly.*

OK, OK, OK.

Acima de tudo, nada é mais precioso do que um sorriso, e quero criar e preencher a minha vida com muitos sorrisos com alguém especial. Já chega daquelas coisas".

O que estou procurando

Uma pessoa positiva de natureza feliz e atenciosa, com muito amor e risos para dar.

Se você conseguir enfiar cinco biscoitos de chocolate na boca e comê-los sem deixar cair farelos, eu abro mão dos pedidos acima.

Mais uma vez, a descrição é bem curta. Não é muito objetiva, o que mostra que ele não pensou muito sobre o tipo de namo-

---

* Barra de caramelo com cobertura de chocolate. (N. do T.)

rada que deseja. Pelo menos, Amelia descreve o que está procurando com relação a casamento e a filhos. Tom não os mencionou porque não é sua prioridade. Sua prioridade é *viver* a vida, em vez de deixar que a vida passe por ele.

Quando comecei a namorar meu ex-marido geminiano, ele me levou para jantar em diversos restaurantes. Cada um tinha uma "história": ele me falava da comida, do lugar e de sua história. Levou-me a lugares onde serviam a comida tradicional do East End londrino, com torta e purê, e uma coisa chamada molho de suco de enguias, porque é feita tradicionalmente com a água proveniente do preparo das enguias ensopadas. O molho tinha cor verde por causa da salsinha e parecia muito esquisito! Fomos ainda a restaurantes judaicos e comemos *latkes* de batata, umas deliciosas panquecas de batata; fomos a restaurantes indianos e comemos *bhajis* acebolados. Tudo isso era novo para mim, pois eu não tinha o hábito de comer fora, e minha Lua em Gêmeos achou tudo muito excitante e diferente.

Esta é a chave para o coração de um homem de Gêmeos: faça algo diferente, o dia todo, todos os dias.

O que Fazer quando seu Relacionamento com um Geminiano Termina

Como você estava namorando alguém de Gêmeos, será necessário explicar por que o relacionamento terminou, como nos conta esta jovem geminiana:

"Se não foi o geminiano que terminou o relacionamento, então ele vai precisar de uma explicação detalhada sobre o PORQUÊ. Não há

nada pior do que um 'por quê?' a assombrar você pelo resto da vida, sem uma resposta. Precisamos compreender a razão".

A explicação não precisa ser complexa, e mesmo que seja apenas algo padronizado, como *"Não amo mais você"*, faça com que a pessoa de Gêmeos ouça isso. Se os nervos não permitem, no mínimo escreva um e-mail ou uma carta bem educada. Entretanto penso que, se você estava namorando alguém, o mínimo que pode fazer é dizer isso pessoalmente, cara a cara. Qual a pior coisa que pode acontecer? O outro talvez chore, fique com raiva, seja rude, mas pelo menos você terá agido com honestidade e educação, impedindo que essa pessoa se questionasse eternamente.

Signos de Fogo

Se o seu signo é de Fogo – Áries, Leão ou Sagitário –, você vai precisar de alguma coisa animada e excitante para ajudá-lo a superar o fim do relacionamento.

Você vai precisar usar o elemento do Fogo no processo de cura.

Compre uma bela vela noturna, acenda-a e recite:

> Eu... (seu nome) deixo você (nome da pessoa de Gêmeos) ir, em liberdade e com amor, para que eu fique livre para atrair meu verdadeiro amor espiritual.

Deixe a vela noturna num local seguro para que queime completamente. Calcule uma hora, pelo menos. Enquanto isso, reúna quaisquer objetos pertencentes a seu (agora) ex-namorado (ou ex-marido) e mande-os de volta para esse geminiano. É educado telefonar antes e avisá-lo de que você está indo.

Se tiver fotos dos dois juntos, recordações ou até presentes, não se apresse em destruí-los como alguns signos de Fogo costumam fazer. É melhor deixá-los numa caixa no porão ou na garagem até você se sentir melhor.

Depois de alguns meses, vasculhe a caixa, guarde as coisas de que gosta e doe aquilo de que não gosta.

Signos de Terra

Se o seu signo é de Terra – Touro, Virgem ou Capricórnio –, você vai ter menos propensão a fazer alguma coisa drástica ou extrema. Talvez você demore um pouco para recuperar o equilíbrio, por isso dê-se algumas semanas e no máximo três meses de luto.

Você vai usar o elemento da Terra para ajudar em sua cura, bem como cristais.

Os melhores cristais a se usar são aqueles associados com o seu signo solar e também com a proteção.

Touro = Esmeralda
Virgem = Ágata
Capricórnio = Ônix

Lave o cristal em água corrente. Embrulhe-o num tecido de seda e vá caminhar pelo campo. Quando encontrar um lugar apropriado, ou seja, silencioso e no qual você não será incomodado, cave um pequeno buraco e coloque o cristal no chão.

Passe alguns minutos pensando no seu relacionamento, nos bons e maus momentos. Perdoe-se por quaisquer erros que possa ter cometido.

Imagine uma bela planta crescendo onde você enterrou o cristal e que a planta floresce e cresce com vigor.

Ela representa seu novo amor, que estará com você quando chegar o momento apropriado.

Signos de Ar

Se o seu signo for de Ar (nosso amigo Gêmeos, Libra ou Aquário), talvez você queira conversar sobre o que aconteceu antes de terminar o relacionamento. Signos de Ar precisam de razões e respostas, e podem desperdiçar uma preciosa energia vital procurando essas respostas. Talvez seja preciso se encontrar com seu geminiano para lhe dizer exatamente o que pensa ou pensou sobre suas opiniões, ideias e seus pensamentos. Você também pode sentir a tentação de dizer o que pensa sobre ele agora, coisa que não recomendo.

É bem melhor expor seus pensamentos em forma tangível, escrevendo uma carta para seu ex-geminiano.

Não é uma carta para se enviar pelo correio, mas ao escrevê-la, você precisa imprimir a mesma energia que colocaria se fosse mesmo enviá-la.

Escreva-lhe nestes termos:

> Caro geminiano,
> Espero que você esteja feliz agora em sua vida nova, mas eis algumas coisas que eu queria que você soubesse e entendesse antes de dizer adeus.

Depois, relacione todos os hábitos incômodos, perturbadores, irritantes a que seu (agora ex) geminiano se dedicava. A lista pode ter a extensão que você quiser. Insira quantos detalhes desejar, incluindo as inúmeras vezes em que ele mudou de ideia, contou mentiras inocentes, disse uma coisa e fez outra, ou não respondeu a seus torpedos – e você sabia que, se não respondesse aos dele, ele ficaria alucinado...

Escreva até não conseguir mais e encerre sua carta com algo similar ao seguinte:

> Embora não fôssemos feitos um para o outro, e eu tenha sofrido por isso, desejo-lhe felicidade em seu caminho.

Ou algum outro comentário positivo.

Depois, rasgue a carta em pedaços bem pequenos e ponha-os num pequeno frasco. Vamos usar o elemento do Ar para corrigir a situação.

Vá até um lugar ventoso e alto, como o topo de uma colina, e, quando achar que deve, abra o frasco e espalhe alguns pedaços aleatórios da carta ao vento. Não use a carta toda ou você corre o risco de levar uma multa por sujar o lugar, só o suficiente para ser significativo.

Observe esses pedacinhos de papel voando ao longe e imagine-os conectando-se com os espíritos da natureza.

Agora, seu relacionamento terminou.

Signos de Água

Se o seu signo for de Água – Câncer, Escorpião ou Peixes –, pode ser mais difícil recuperar-se rapidamente desse relacionamento. Talvez você se flagre chorando em momentos inoportunos, ou ao ouvir a música "de vocês" no rádio, ou quando vir outros casais felizes na companhia um do outro. Você pode acordar à noite achando que arruinou sua vida e que o ex-geminiano está se divertindo. Como você já deve ter percebido, é pouco provável que isso esteja acontecendo. Seu ex deve estar tão abalado quanto você.

Portanto sua cura emocional precisa incorporar o elemento Água.

Como você é capaz de chorar pelo mundo, da próxima vez em que estiver se banhando em lágrimas, pegue uma gotinha e coloque-a num pequeno copo. Mantenha um por perto para essa finalidade. Decore-o se quiser. Flores, estrelas ou coisinhas brilhantes.

Encha o copo de água e ponha-o sobre a mesa.

Depois, recite o seguinte:

> Este adorável relacionamento com você, ... (nome do geminiano), terminou.
> Estendi-me através do tempo e do espaço para chegar até você.
> Minhas lágrimas vão lavar a dor que sinto.
> Tiro você de meu coração, de minha mente e de minha alma.
> Partamos em paz.

Depois, beba lentamente a água. Imagine a dor dissolvendo-se e livrando você de toda a ansiedade e de toda a tristeza.

Passe as próximas semanas tratando-se bem. Se precisar conversar, procure alguém de confiança e abra-se com essa pessoa. Tenha lenços de papel à mão.

♊ Táticas para escutar ♊

Seu Amigo Geminiano

Não é difícil ser amigo de um geminiano. Normalmente um geminiano tem muitos amigos. Eles atraem amizades e conexões como um ímã. Seus amigos serão divididos em "Trabalho", "Lazer", "Família" e "Outros". Você vai saber a que categoria pertence, pois todos os seus amigos serão mútuos. É raro um geminiano ter um amigo que não conheça outros amigos dele.

Como outros signos de Ar, você não precisa estar com o geminiano o tempo todo, nem ficar no bolso dele. Ele prefere uma conexão leve, mas frequente.

É parecido com a borboleta que vai de flor em flor. Nunca vi uma borboleta parada por muito tempo no mesmo lugar. Você já viu? Elas vão de lá para cá. Geralmente, não percorrem distâncias muito longas. De vez em quando, abrem e fecham suas asas ao sol, e depois vão novamente de flor em flor. Pense nisso ao se lembrar da amizade com um geminiano.

Ela precisa ser variada e delicada.

Se você estiver num momento difícil, o geminiano estará por perto para ajudá-lo, mas ele não vai querer se lembrar de problemas passados; por isso, deixe-os para trás e vislumbre um futuro cor-de-rosa.

Como mencionei antes, minha melhor amiga é geminiana e estamos ligadas por uma conjunção Lua/Sol (astrologuês que significa "juntos no mesmo signo"). Monte os mapas dos dois e em pouco tempo vocês descobrirão seu grau de compatibilidade e, mais importante ainda, quanto tempo podem passar juntos sem discutirem ou se entediarem.

Uma coisa é certa: se o seu geminiano estiver numa situação difícil, o simples fato de você "estar por perto" será suficiente para tranquilizá-lo.

Kylie Minogue expressa isso de forma brilhante:

> *"E quando entro em parafuso sem razão nenhuma, quando me sinto totalmente perdida, perguntando-me mil coisas, quem sou, o que desejo, para onde vou... Ele está lá".*

Sua Mãe Geminiana

Como sou homeopata além de astróloga, conheço alguns bons autores de livros sobre homeopatia, e uma de minhas autoras favoritas é a geminiana Miranda Castro.

Em seu livro *Mother and Baby*, muito útil, ela conta como foi ser mãe pela primeira vez.

> *"Fiquei muito feliz ao engravidar em 1978, adorei a experiência. Adorei a sensação de ter uma vida tomando forma dentro de mim, nadando e revirando. Adorei a forma do meu corpo, minha barriga redonda, grande e macia... Eu tinha um medo irracional de que o bebê nascesse morto... a sensação ainda não resolvida de um aborto que tivera no ano anterior... O trabalho de parto foi longo, prejudicado pelo medo e pela ansiedade e pelo fato de não poder comer...*
>
> *A maternidade foi um grande choque, uma explosão de emoções conflitantes. Tive de me adaptar a tanta coisa, aparentemente de forma rápida, que volta e meia me flagrava perseguindo minha própria cauda ao tentar entender o que devia fazer em seguida! Gostaria de ter descoberto antes que teria tanto trabalho."*

⟆ Táticas para escutar ⟅

O motivo para ter incluído este trecho foi a última frase: *"Gostaria de ter descoberto antes que teria tanto trabalho".*

Você se lembra do começo deste livro, quando disse que meu marido gostava de saber qual era o pior cenário? Creio que Gêmeos é o único signo que faz isso. Ele quer saber o que é bom e o que é ruim. É diferente do leonino, que só quer saber o que é bom. Ou do capricorniano, que sempre teme pelo pior.

A mãe geminiana vai se sentir melhor se souber de *tudo* que pode dar errado ou pode acontecer, bem como todas as coisas positivas nas quais ela pode se concentrar. Logo, se você tem uma amiga geminiana que vai dar à luz pela primeira vez, sugira-lhe que leia o livro de Miranda ou, no mínimo, explique o que *pode* dar errado, o que *talvez* aconteça e o que pode acontecer *de melhor*.

Minha amável tia, que registrou meus dados de nascimento em suas efemérides, também era geminiana, bem como minha adorável avó, e por isso eu tive experiências em primeira mão com mães geminianas. Conheço ainda muitas mães geminianas da minha idade, e por isso o assunto me é familiar.

Em primeiro lugar, sua mãe geminiana precisa de algo para manter sua mente ativa. Se ela só estiver ocupada com tarefas domésticas, sem qualquer forma de estímulo mental, essa mãe geminiana será muito rabugenta.

Conheço um punhado de jornalistas e escritoras geminianas. Sei que, quando trabalham demais, sentem a falta dos filhos, mas, do mesmo modo, se não estão trabalhando, ficam cansadas e insatisfeitas.

Minha avó não trabalhou um único dia de sua vida, mas era uma pessoa bastante agitada, sempre tricotando, costurando ou tocando piano.

Minha mãe escreveu sobre ela em seu livro *Pompey Roots* [Raízes de Pompeia]:

"Uma coisa de que me lembro particularmente sobre minha mãe são seus inesgotáveis 'ditados'. Tinha um para cada ocasião:
Quanto melhor o dia, melhor a ação.
Se quiser que um trabalho fique bem-feito, faça-o você mesmo.
É preciso comer um torrão de terra antes de morrer.
Se sua cabeça não estivesse grudada, você a perderia.
Um dentro, um fora e um lavando.
Um pé lá e outro cá, como um gato na peixaria".[15]

Tanto minha avó materna quanto minha tia paterna adoravam conversar. Nada as deixava mais felizes do que ter alguém com quem pudessem manter uma "boa" conversa. E, diferentemente dos leoninos, a conversa não precisava ser sobre elas, nem mesmo sobre alguma coisa de seu interesse. Conquanto a conversa fluísse e elas tivessem "algo a dizer", ficavam felizes. Cheguei a entrevistar minha avó, já bastante idosa, com meu gravador de mão, e ela me contou a (verdadeira) história de *"Como Vovô Latham Matou um Russo na Primeira Guerra Mundial"*.

A maternidade em si não é necessariamente atraente para uma geminiana; o que a encanta é poder ajudar seus filhos a aprender coisas. As mães geminianas adoram transmitir informações.

Brigida mora no Timor-Leste, uma ilha próxima à costa da Indonésia. Ela nos fala de sua mãe, com Sol em Gêmeos e Lua em Sagitário, que teve um casamento combinado aos 11 anos. Quando estava com 16, teve o primeiro filho, que infelizmente veio a falecer. Mais tarde, acabou dando à luz a seis filhos, depois de ter perdido outro.

"Minha mãe prestava atenção nas menores coisas em nossa vida. Ela sempre tentava tornar nossos aniversários especiais, ano após ano. Ela mesma fazia nossas roupas, inclusive as camisas de meu pai e de meus dois irmãos. Nossa casa em Uato-Carbau estava sempre cheia de gente, porque outros pais queriam que seus filhos aprendessem com minha mãe a costurar, a bordar e a cozinhar.

Minha mãe sempre nos lembrava de como a educação é importante. Ela não queria que seguíssemos seu caminho. Meus pais nunca fizeram diferença entre os filhos e as filhas. Matricularam todos na escola primária de Ossu. Minha irmã mais velha e eu fomos para o internato das freiras, e meus irmãos, para um internato para meninos. Minha mãe sempre apoiou as filhas. Muitas vezes, nas ausências de meu pai, ela nos lembrava de que devíamos estudar bastante, pois ela acreditava que só com a boa educação a vida poderia melhorar".

Brigida conta um pouco mais sobre esse espírito geminiano nato:

"Ela fazia amizade com todo mundo. Quando eu era pequena, íamos a um mercado tradicional aos domingos, após as preces. Minha mãe sempre preparava uma refeição que era mais abundante do que a sua família precisava. Então, ela se sentava na frente de casa e esperava as pessoas voltarem do mercado. Ela os convidava a entrar e lhes oferecia almoço ou xícaras de café ou chá. Se elas não estivessem com fome ou com sede, ela se sentava e ficava mascando nozes com elas".[16]

Bem, se você mudar um pouco esse relato e substituir a refeição por "chá e bolos", isso poderia ter acontecido em qualquer lugar da Grã-Bretanha. Nos Estados Unidos, troque o chá por café e biscoitos, e a história ainda será a mesma. O ponto central é: *"Ela fazia amizade com todo mundo".* Esta é uma característica geminiana natural que, se sua mãe for geminiana, você terá de aceitar e incentivar.

Seu Pai Geminiano

Seu pai geminiano será uma mescla de energias diversas e interessantes. Num dia, ele se mostra feliz e cheio de vida; no outro, questiona "A Vida, o Universo e Tudo". Terá um bom círculo de amigos, alguns do trabalho, outros que ele conhecerá em seus momentos de lazer, mas, como a maioria dos geminianos, vai tentar mantê-los separados.

Eis o que Manuka diz sobre seu pai geminiano:

"Meu falecido pai era geminiano. Nasceu na Ucrânia, perto da atual fronteira com a Polônia; sua família passou os primeiros anos de sua vida mudando-se como fazendeiros itinerantes (e sua mãe era parteira). Quando a Segunda Guerra Mundial terminou, eles moraram num campo para refugiados, e acabaram mudando para os Estados Unidos. Ele era um sujeito eloquente, generoso e de mente aberta. Costumo dizer que meu pai estava sempre disposto a me dar qualquer coisa deste mundo, menos uma resposta objetiva.

Meu pai era um tagarela compulsivo. Quando minhas irmãs e eu éramos menores, ele costumava nos levar a uma lanchonete ou doceria, se sentava e falava durante horas. Às vezes, eu nem conseguia encaixar uma palavra na conversa. Ele também gostava de

♊ Táticas para escutar ♊

falar ao telefone, e conversava durante horas ao aparelho. E nunca se esquivava de escrever uma carta; adorava mandar e receber correspondências, pois trabalhava nos correios.

Trabalhou nos correios dos Estados Unidos da América durante trinta anos ou mais. Porém, pedia para trocar de rota com frequência, a cada dois anos. Ao se aposentar, pôde dizer que entregou cartas em todas as casas da cidade. Nos seis anos em que morou sozinho, mudou-se de apartamento em apartamento (umas sete vezes).

Seus assuntos prediletos na escola eram literatura e filosofia (era fã ardoroso de Tolstói). Seus passatempos eram a leitura, o desenho e 'olhar pessoas'. Ele podia passar um dia inteiro numa lanchonete, falando com as garçonetes e procurando conversar com pessoas que não conhecia, mas que eram interessantes.

Falava várias línguas: polonês, russo e alemão na infância, inglês depois de emigrar para os Estados Unidos e um pouco de espanhol depois de se casar com minha mãe (que é descendente de mexicanos e de americanos).

Parece irônico para quem falava muito, mas ele adorava comediantes do cinema mudo. Charlie Chaplin, Buster Keaton, Harold Lloyd, o Gordo e o Magro. Gostava também de Groucho Marx e de Bob Hope".

Ele era uma pessoa com o Sol em Gêmeos e a Lua em Sagitário, e perceba que ele mudava de *rotas* no trabalho em vez de trocar de emprego. Gostava de conversar, falava mais de uma língua, gostava de ler e de "olhar pessoas". Todas são características geminianas. Se o seu pai é de Gêmeos e seus mapas não conflitam, você tem um pai que vai gostar muito de transmitir as habilidades e os passatempos dele para você. O único problema que pode ocorrer é um conflito entre passatempos. Conheço

♊ Como escutar um Geminiano ♊

um taurino cujo pai era geminiano e seu ponto de interesse se fixava entre a aquarela e a pintura, mas seu pai também gostava de corridas de pombos, e seu filho não se interessava por isso. Depois que seu pai se aposentou, começou a passar um bom tempo junto às aves, participando de corridas com elas, uma coisa que eles não conseguiram "compartilhar".

Seus interesses precisam ser semelhantes, ou pode haver um conflito. Se for o caso, concorde em discordar; no mínimo, porém, deixe que seu pai lhe fale sobre seus passatempos e escute-o!

Seus Irmãos Geminianos

Se você tem irmãos geminianos, será útil analisar o seu elemento. Se o seu signo for de Ar ou de Fogo, tudo deve funcionar razoavelmente bem. Vocês podem brigar, podem discutir, podem discordar sobre muitas coisas, mas sob tudo isso haverá a compreensão básica que esses elemento compartilham.

Sarah é de Áries. Veja o que tem a dizer sobre sua irmã geminiana:

> *"Tenho uma irmã de Gêmeos. Não sei se posso chamá-la de lógica. Todos nós em casa achamos o tempo todo que ela é biruta – mas isso já é outra história! Porém ela é uma mulher muito inteligente. Sempre foi. Parece uma coisa natural para ela, e isso me surpreende um pouco, pois ela nunca foi e não é de ler muito – exceto romances –, mas mesmo assim ela tem a capacidade de se sair bem em qualquer assunto".*

Se o seu signo é de Água ou de Terra, seu irmão de Gêmeos pode deixá-lo maluco.

♊ Táticas para escutar ♊

Os signos de Terra, em particular, têm mais dificuldade para se entenderem com irmãos de signos de Ar. É que um é movido por fatos e coisas concretas, reais e tangíveis, e o outro por ideias e pensamentos que mudam rapidamente, e por sentimentos instáveis. Isso deixa os signos de Terra alucinados, e, a menos que seus signos da Lua ou do Ascendente sejam complementares, vocês podem passar por tempos difíceis.

Ajuda muito montar os mapas de ambos e estudá-los com atenção em busca de pontos de similaridade. Talvez ambos tenham Vênus no mesmo signo ou elemento. Talvez suas Luas se entendam, ou Marte. Infelizmente, não há neste livreto espaço suficiente para lhe dar todas as combinações possíveis, mas basta dizer que, se você observar com atenção, encontrará um ponto de concordância, nem que seja Plutão (que leva muito tempo para mudar de signo).

Espere, porém, que seu irmão geminiano se mostre de um jeito num dia e de outro no seguinte. Se você se preparar mentalmente para sua mutabilidade e não esperar que ele seja como você, não irá se desapontar.

Espero que você tenha gostado de aprender um pouco sobre o signo solar de Gêmeos e que esteja um pouco mais confiante para montar um mapa astral. Se todos nos entendermos um pouco melhor, o mundo será um lugar ainda mais adorável para se viver.

Eu lhe desejo tudo de bom em sua vida e envio-lhe paz e felicidade.

♊ Notas ♊

1. *The Astrologers and Their Creed*, Christopher McIntosh, 1971. Arrow Books Ltd, selo do Hutchinson Group, Londres.
2. *The Dawn of Astrology: A Cultural History of Western Astrology, The Ancient and Classical Worlds*, Nicholas Campion, 2008, p. 70, Hambledon Continuum, Londres SE1.
3. *The Handbook of Astronomy*, Clare Gibson, 2009, Kerswell Books Ltd.
4. *Essentials Astronomy: A Beginner's Guide to the Sky at Night*, Paul Sutherland, 2007, Igloo Books Ltd, Sywell.
5. *Astrological Counselling, A Basic Guide to Astrological Themes in Person to Person Relationships*, Christine Rose, 1982, The Aquarian Press, Northamptonshire.
6. *Retrograde Planets: Traversing the Inner Landscape*, Erin Sullivan 1992, Arkana, Penguin Books Ltd, 27 Wrights Lane, Londres W8 5TZ, Inglaterra.
7. *Astrology for Dummies*, Rae Orion, 1999, IDG Books Worldwide, Inc, Foster City, CA 94404.
8. *Astrology. The Stars and Human Life: A Modern Guide*, Christopher McIntosh, 1970, Macdonald Unit 75, Londres.

9. *Linda Goodman's Love Signs, A New Approach to The Human Heart*, 1980, Pan Books Ltd, Londres SW10.
10. *Easy Astrology Guide: How to Read Your Horoscope*, Maritha Pottenger, 1996, ACS Publications Inc., US.
11. *The Instant Astrologer*, Felix Lyle, Bryan Aspland, 1998, Piatkus Books, Londres W1.
12. http://www.telegraph.co.uk/culture/5421264/Hugh-Laurieinterview.html.
13. *The New Waite's Compendium of Natal Astrology*, 1967, Routledge and Kegan Paul Ltd, Londres.
14. *Miranda Castro's Homeopathic Guides, Mother and Baby, Pregnancy, Birth and your baby's first year*, 1992, Pan Books, Londres SW1.
15. *Pompey Roots, A History of the Latham/Lonnon Families*, Jean English, edição da autora, www.jeanenglish.co.uk.
16. http://mymothersstory.org/2012/06/brigida-silvas-story-ofetelvina/#more-1616.

☾ Informações adicionais ☾

The Astrological Association
www.astrologicalassociation.com

The Bach Centre, The Dr Edward Bach Centre, Mount Vernon,
Bakers Lane, Brightwell-cum-Sotwell, Oxon, OX10 0PZ, GB
www.bachcentre.com

Informações sobre Mapas Astrais

Informações sobre mapas e dados astrológicos de nascimento obtidos no astro-databank de www.astro.com e www.astrotheme.com

Dados de Nascimento Imprecisos

Aung San Suu Kyi, 19 junho de 1945, Rangoon (Yangon), Burma.

Helena Bonham Carter, 26 maio de 1966, Golders Green, Londres, GB, Lua em Leão.

Che Guevara, 14 de maio de 1928, Rosário (Santa Fé), Argentina, Sol em Gêmeos, Lua em Peixes.

Ascendente

Isadora Duncan, 26 de maio de 1877, San Francisco, CA, EUA, 2h10, Ascendente em Áries, Sol na 2ª casa, Lua em Escorpião.

Les Paul (Lester William Polsfuss), 9 de junho de 1915, Waukesha, WI, EUA, 2h00, Ascendente em Touro, Sol na 2ª casa, Lua em Touro.

Angelina Jolie, 4 de junho de 1975, Los Angeles, CA, EUA, 9h09, Ascendente em Câncer, Sol na 11ª casa, Lua em Áries.

Rainha Victoria, 24 de maio de 1819, Londres, Inglaterra, GB, 4h15, Ascendente em Gêmeos, Sol na 1ª casa, Lua em Gêmeos.

Anne Frank, 12 de junho de 1929, Frankfurt am Main, Alemanha, 7h30, Ascendente em Leão, Sol na 11ª, Lua em Leão.

Igor Stravinsky, 17 de junho de 1882, Oranienbaum, Rússia, 12h00, Ascendente em Virgem, Sol na 10ª casa, Lua em Câncer.

Paula Abdul, 19 de junho de 1962, Los Angeles, CA, EUA, 14h32, Ascendente em Libra, Sol na 9ª casa, Lua em Capricórnio.

Nicole Kidman, 20 de junho de 1967, Honolulu, HI, EUA, 15h15, Ascendente em Escorpião, Sol na 8ª, Lua em Sagitário.

Bob Dylan, 24 de maio de 1941, Duluth, MN, EUA, 21h05, Ascendente em Sagitário, Sol na 6ª casa, Lua em Touro.

Brooke Shields, 31 de maio de 1965, Manhattan, NY, EUA, 13h45, Ascendente em Virgem, Sol na 9ª casa, Lua em Gêmeos.

Naomi Campbell, 22 de maio de 1970, Westminster, Londres, GB, 1h00, Ascendente em Capricórnio, Sol na 5ª casa, Lua em Sagitário.

Ray Davies, 21 de junho de 1944, Fortis Green, Inglaterra, GB, 0h20, Ascendente em Aquário, Sol na 5ª casa, Lua em Câncer.

Paul McCartney, 18 de junho de 1942, Liverpool, Inglaterra, GB, 2h00, Ascendente em Peixes, Sol na 4ª casa, Lua em Leão.

Lua

Jackie Stewart, 11 de junho de 1939, Dumbuck, Escócia, GB, 14h50, Ascendente em Libra, Sol na 9ª casa, Lua em Áries.

Joan Collins, 23 de maio de 1933, Paddington, Londres, GB, 3h00, Ascendente em Áries, Sol na 3ª casa, Lua em Touro.

Tom Jones, 7 de junho de 1940, Pontypridd, Gales, GB, 0h10, Ascendente em Capricórnio, Sol na 5ª casa, Lua em Gêmeos.

Kylie Minogue, 28 de maio de 1968, Melbourne, Austrália, 11h00, Ascendente em Câncer, Sol na 11ª casa, Lua em Gêmeos.

Bob Hope, 29 de maio de 1903, Eltham, Inglaterra, GB, 15h36, Ascendente em Libra, Sol na 8ª casa, Lua em Câncer.

Ian McKellen, 25 de maio de 1939, Burnley, Inglaterra, GB, 21h30, Ascendente em Sagitário, Sol na 6ª casa, Lua em Virgem.

Clint Eastwood, 31 de maio de 1930, San Francisco, CA, EUA, 17h35, Ascendente em Escorpião, Sol na 7ª casa, Lua em Leão.

Sandra Bernhard, 6 de junho de 1955, Flint, MI, EUA, 9h00, Ascendente em Leão, Sol na 11ª casa, Lua em Sagitário.

Priscilla Presley, 24 de maio de 1945, Brooklyn (Kings County), NY, EUA, 22h40, Ascendente em Capricórnio, Sol na 11ª casa, Lua em Escorpião.

Marilyn Monroe, 1º de junho de 1926, Los Angeles, CA, EUA, 9h30, Ascendente em Leão, Sol na 10ª, Lua em Aquário.

Johnny Depp, 9 de junho de 1963, Owensboro, KY, EUA, Ascendente em Leão, Sol na 11ª casa, Lua em Capricórnio.

Allen Ginsberg, 3 de junho de 1926, Newark, NJ, EUA, 2h00, Ascendente em Peixes, Sol na 4ª casa, Lua em Peixes.

Casas

Gene Wilder, 11 de junho de 1933, Milwaukee, WI, EUA, 3h50, Ascendente em Gêmeos, Sol na 1ª casa, Lua em Aquário.

Michael J. Fox, 9 de junho de 1961, Edmonton, AB, Canadá, 0h15, Ascendente em Aquário, Sol na 4ª casa, Lua em Touro.

Ray Davies, 21 de junho de 1944, Fortis Green, Inglaterra, GB, 0h20, Ascendente em Aquário, Sol na 5ª casa, Lua em Câncer.

Enoch Powell, 16 de junho de 1912, Birmingham, Inglaterra, GB, 21h50, Ascendente em Capricórnio, Sol na 6ª casa, Lua em Câncer.

Barbara Bush, 8 de junho de 1925, Rye, NY, EUA, 19h00, Ascendente em Sagitário, Sol na 7ª casa, Lua em Capricórnio.

Marquês de Sade, 2 de junho de 1740, Paris, França, 17h00, Ascendente em Escorpião, Sol na 8ª casa, Lua em Virgem.

Thomas Mann, 6 de junho de 1875, Lübeck, Alemanha, 10h15, Ascendente em Virgem, Sol na 10ª casa, Lua em Câncer.

Judy Garland, 10 de junho de 1922, Grand Rapids, MN, EUA, 6h00, Ascendente em Câncer, Sol na 12ª casa, Lua em Sagitário.

Sir Arthur Conan Doyle, 22 de maio de 1859, Edimburgo, Escócia, GB, 4h55, Ascendente em Gêmeos, Sol na 12ª casa, Lua em Aquário.

PRÓXIMOS LANÇAMENTOS

**Editora
Pensamento**
SÃO PAULO

Para receber informações sobre os lançamentos da
Editora Pensamento, basta cadastrar-se no site:
www.editorapensamento.com.br

Para enviar seus comentários sobre este livro,
visite o site
www.editorapensamento.com.br
ou mande um e-mail para
atendimento@editorapensamento.com.br